« *L'extraordinaire se trouve sur le chemin des gens ordinaires.* »

De Paulo Coelho

Avant-propos

Les *Contes de Meer* mènent à une très grande imagination. Dans certains contes, le lecteur part vers d'autres mondes, extraordinaires, qui ne ressemblent point au nôtre. Leurs peuples ont des coutumes et traditions différentes. Leurs visages et couleurs de peaux ne sont pas les mêmes. Finalement, leurs milieux et entourages changent aussi. Si le lecteur est un enfant, il partira vers un lieu amusant et où il se régalera, dans lequel il se retrouvera heureux et épanoui. Si le lecteur est un adulte, il pourra découvrir les nouvelles traditions des autres mondes. Il pourra les comparer aux nôtres. Il pourra ainsi en déduire une conclusion. Dans les contes, il y aura des moments où de grands mystères et un suspense régneront. L'auteur vous conseille d'essayer d'imaginer à votre tour comment l'histoire va se terminer. À vous, ensuite, de la comparer à la fin de la vraie histoire. Certaines histoires vont peut-être vous faire rire et sourire. À vous de les lire.

Il existe un héros humain : Martin Oisillon. Ce jeune guerrier est un héros immortel. Il a fait preuve d'un grand courage, à l'aide de son intelligence et de sa gentillesse, envers les animaux. Un jour, un ange l'a rendu immortel. C'est ainsi qu'il vivra toujours, pour protéger la planète Terre et tous les êtres qui y vivent.

Sommaire

1

Le cercle polaire arctique

(Prix d'encouragement au concours
« Plumes des Monts d'Or » en Juin 2014)

J'ai étudié ce matin, en sciences, qu'en Antarctique la vie avait disparu et que la terre était morte en raison des températures glaciales, qui atteignent jusqu'à -71° C. Depuis ce jour, mais j'ignore comment, j'ai visité cet endroit et j'ai exploré les mystères de cet extraordinaire monde.

Je suis rentré chez moi, le jour où l'on a étudié les sciences de la Terre. Comme d'habitude, je me suis mis au lit. C'était l'heure de la sieste.

Alors que j'étais couché, ma mère m'a lu une belle histoire qui m'a envoyé dans un autre monde, que je ne pus ni reconnaître, ni identifier. Je me retrouvai devant un grand mur glacé où je vis une très grande porte ayant la taille d'un géant. Non loin, il y avait un chiffre, et devant celui-ci était écrit « chiffre secret à retenir ». C'était le chiffre 6. Je l'appris et, soudain, la grande porte s'ouvrit automatiquement. Une voix basse me demanda de fermer les yeux, puis de les ouvrir à nouveau. À ce moment-là, de grandes créatures gelées étaient en train de se déplacer et, derrière elles, un grand monde extraordinaire : des gratte-ciel gelés, des tours glacées, des jardins couverts de neige et de verglas, des nains gelés par le froid. Un aigle qui volait est venu chuchoter à mon oreille « un chiffre secret ? ». Je lui dis « six ». Soudain, le monde devint un enfer. C'était incroyable ! La glace et la neige se transformèrent en feu, les gratte-ciel en volcans qui entrèrent en éruption et dont sortit un liquide rouge et fluide. C'était de la lave. Les nains devinrent des dragons qui crachèrent du feu. Le jardin se transforma en une forêt affreuse et terrifiante. Je me pinçai la main et le visage, mais c'était la réalité. Je me frottai les yeux, mais rien n'avait changé. Je revis l'aigle à qui j'avais fait confiance et à qui j'avais confié le chiffre secret. Une voix basse prononça le mot « trahison ». Je ne compris rien. Après quelques secondes, l'aigle se transforma en un aigle deux fois plus puissant et plus grand. Il commença alors à tout détruire. Ce qui m'étonna, c'est que tout à coup, ce monstre disparut totalement, et la vie redevint normale.

Je me retrouvai à nouveau devant la porte glacée, mais au lieu que j'aperçoive le chiffre secret, j'ai vu écrit le verbe « sortir ». Je restai égaré et perdu. Puis, je vis une autre porte très petite où il y avait un autre chiffre secret à retenir : le chiffre « 9 ». Je l'appris et, vite, cette porte s'ouvrit et une immense voix me demanda de fermer les yeux. Puis, je vis des aigles et des ogres en feu, des palais rouges, des tanks en feu, une tour Eiffel en forme de volcan et, au lieu de la pluie, il y avait des pierres et de la lave qui tombaient et s'écoulaient. Un ogre rouge s'approcha de moi, me prit dans les grosses paumes de ses mains et me mit sur ses épaules. Il courut très vite, plus vite que le vent qui souffle dans une tempête. Il me déposa gentiment devant un très grand château. Il ouvrit la porte et me fit entrer. Il y avait des cellules et des prisons, où je reconnus le peuple du chiffre six. L'ogre me remercia et me raconta l'histoire du Vencila :

– Vencila est le pays que tu as visité la première fois. Quant à ce pays-là, qui est en feu, il s'appelle Washilda. Vencila est l'ennemi de Washilda. La guerre a commencé en 789/WASH (équivalent de 4562 après J.-C.). Cette guerre est la guerre du froid contre la chaleur. Au départ, les deux pays étaient pareils, mais un jour, Zerta, qui est un sorcier, s'était trompé de formule magique et nous avait transformés en feu. Puis, un jour, quand nous visitâmes nos amis les Venciliens, l'un de nous brûla deux de ces derniers. À partir de ce jour, Vencila nous déclara la guerre. Chaque pays a inventé un chiffre secret, que ne connaissent que les habitants de ce pays, afin que les ennemis ne puissent pas entrer. Et toi, mille fois merci, tu as donné à notre roi, l'aigle Master, le chiffre secret et tu nous as permis d'occuper Vencila et de rendre ses habitants nos esclaves.

Depuis ce jour, j'étais le plus grand ami des Washildiens et je vis qu'ils avaient rendu les Venciliens esclaves. J'ai eu pitié de Vencila pour cela, j'ai regretté ce que j'avais fait et j'ai décidé de rencontrer le roi Master.

Samedi matin, j'ai visité le ministère des Affaires intérieures et j'ai pris rendez-vous avec l'aigle Master pour lundi prochain. Lundi, je suis allé au rendez-vous et j'ai parlé avec Sa Noblesse le roi.

– Votre Noblesse le roi, c'est un honneur de vous rencontrer, monsieur, lui dis-je.

– Asseyez-vous donc et racontez-moi vos ennuis, me dit-il.

– Monsieur, je vous demande la permission de libérer les Venciliens, de leur faire des dons et de les aider, demandai-je.

– Comment ? Tu es fou ? cria-t-il.

– Non, monsieur, je voudrais que nous redevenions amis et que chacun ait à nouveau son pays, expliquai-je à Master.

– Puisque c'est comme cela, je suis obligé de dire que cet homme sera enfermé dans la prison de l'eau et demain nous l'exécuterons en le jetant dans l'océan Poéglomique.

– Non ! Pitié, monsieur le roi. Pitié !

Les gardiens m'emmenèrent dans une prison terrifiante et proche de la mer. Puis ils m'enfermèrent dans une petite cellule, j'étais attaché par une laisse aux pieds et aux mains. J'ai commencé à pleurer à sanglots, demandant de la pitié.

Le lendemain, le jour de mon exécution, les gardiens m'emmenèrent près de l'océan et organisèrent un festival. L'aigle Master ouvrit un grand livre contenant 248 pages. C'était le livre où étaient inscrites toutes mes bontés et toutes mes méchancetés.

Il commença à lire la feuille suivante :

L'enfant Martin Oisillon (bontés)
1. A aidé le peuple de Washilda.
2. A donné le chiffre secret à Washilda.
3. A été l'ami des Washildiens.
L'enfant Martin Oisillon (méchancetés)
1. A voulu aider Vencilia.

Puis il dit :

– Nous devons offrir la vie de ce garçon aux requins (des requins en feu) de l'océan Poéglomique (actuellement océan Arctique), car il a voulu aider le peuple ennemi de Vencilia. C'est le plus grand crime chez nous. Nous sommes des Martiens habitant Washilda, se situant au Poéglome (Antarctique), et nous n'aimons pas les ennemis, dit l'aigle.

– Monsieur le roi, je n'ai voulu qu'aider les Venciliens, d'autant plus que la citation française de Jacques Chardonne, en 1932, dit : « L'amitié sait compatir sans bassesse, aider sans perfidie et se réjouir du bonheur d'autrui », lui criai-je.

– Es-tu Français, chenapan ? m'insulta Master.

– Oui monsieur, je suis de Bordeaux, répondis-je.

– Espion, tu es un espion. Tu as découvert notre origine, tu sais que nous sommes des extraterrestres et que nous habitons Washilda, espion, commença-t-il à crier.

Soudain, je me suis réveillé et je me suis retrouvé devant ma mère, qui me regardait. Je lui ai raconté la longue aventure. Elle n'en croyait pas ses oreilles.

En l'occurrence, elle a décidé de m'emmener à la radio française. L'enquête a été publiée. À cet effet, la France a envoyé un avion vers l'Antarctique, il a découvert une maison bâtie avec un nouveau métal, que l'on appela le poéglice. C'était un métal très cher, qui n'existait pas ailleurs sur la planète Terre.

Maintenant, tout le monde se pose la question : « est-ce un rêve réel ou irréel ? »

Pour ma part, je pense, depuis ce jour, que les extraterrestres existent et qu'ils visiteront peut-être un jour la planète Terre.

2

Apprivoiser une bête sauvage

En l'an 3654, Athènes, la capitale de la Grèce, était devenue une ville très puissante. Elle était la plus importante ville du monde grâce à sa puissance économique. Elle dominait le monde. Cette ville était habitée par des personnes venant de tous les pays et de tous les continents.

Le président de cette République était le colonel Acabell. Il avait été élu en l'an 3651. C'était lui qui avait renforcé la ville et l'avait rendue première puissance économique au monde.

Acabell était le fils d'un père grec et d'une mère turque. Acabell était né à Athènes. Il adorait cette ville et la préférait à toutes les autres villes grecques. Acabell était injuste, il ne s'occupait que d'Athènes. Il ignorait l'existence des autres villes grecques.

Il se rendait tous les soirs à l'Acropole pour faire un discours. Dans son dernier discours, Acabell avait dit : « Chère Athènes, tu es la première puissance économique du monde. Tu es la plus forte et tu resteras ainsi. Je te protégerai contre tous les dangers. Tu ne tomberas jamais, je te le promets ».

Une année après, dans la ville d'Athènes, apparut une bête qui terrorisait l'humanité. Celle-ci habitait la mer. C'était un poulpe géant d'une taille six fois plus grande que celle d'un homme. Il avait une grande tête et la peau rouge. La bête avait aussi trois yeux. Elle ne laissait naviguer aucun navire dans la mer Égée. Elle avait une mauvaise odeur et faisait un vacarme étourdissant dans la mer.

La mer Égée est une mer entourée de deux régions côtières que sont l'Asie Mineure et la Grèce. Le président grec Acabell avait interdit aux bateaux d'y naviguer. Il n'y avait plus aucun navire au port du Pirée, qui était le plus grand port d'Athènes et la demeure du dieu grec Poséidon. Les Grecs et tous les pays du monde s'étaient réunis pour trouver une solution. À la fin de cette réunion, Acabell était sorti et avait décidé de tuer le poulpe par balles.

Les armées grecques et celles du monde étaient sorties à huit heures du soir. Elles s'en étaient allées par hydravions et s'étaient rapprochées de la zone du poulpe. Quand elles l'avaient vu, elles lui avaient tiré des balles. Mais chaque balle tirée lui donnait plus de force et plus d'énergie. Les armées l'avaient constaté. Elles étaient rentrées chez elles désespérées. Quand Acabell apprit l'échec de ses armées, il ne les crut pas. Il leur ordonna de repartir et de le battre. Les armées échouèrent une nouvelle fois et Acabell leur demanda de repartir à nouveau. Cette action s'était répétée plusieurs fois et elle s'était révélée négative, car le poulpe devenait de plus en plus puissant.

Un jour, sur la Une du journal *Le Jour* était écrit en lettres capitales majuscules et en rouge sang : « Le monstre de la mer Égée avale plus de cinq cents navires avec leur contenu ! ». Ce jour-là, toute la ville était terrorisée. La bête avait avalé à minuit cinq cents navires. C'était extraordinaire ! « Il faut sauver Athènes, elle ne peut pas rester ainsi », avait dit Acabell lors de son discours. La bête diminue la puissance d'Athènes, les autres villes vont la devancer. Tous les ministres réfléchissaient avec Acabell pour trouver une solution.

Le président ne savait plus quoi faire. Chaque fois qu'il envoyait ses armées combattre le poulpe, celui-ci devenait plus fort et plus puissant. Il fit alors appel à plusieurs personnes pour tenter de tuer l'animal. Pour encourager les gens dans leurs tentatives, il offrit une récompense de vingt mille euros à celui qui réussirait à le tuer. Hélas, plus de huit cents guerriers essayèrent, mais personne n'y parvint.

Un jour, un jeune guerrier qui s'appelait Martin Oisillon décida de sauver la ville. Les gens racontaient que ce jeune héros était immortel et très intelligent. Ils disaient que Martin Oisillon était très gentil avec les animaux.

Une nuit, un ange s'approcha de lui et lui dit qu'il deviendrait immortel. Depuis ce temps, Martin Oisillon fut un vrai héros qui vécut toujours pour défendre la Terre et tous les êtres vivants qui y habitent.

En effet, il partit avec la volonté de battre la pieuvre. Martin Oisillon s'approcha de la bête et lui lut un joli papier bleu mis dans un petit ruban rouge qu'il sortit de sa poche :

« Généreuse bête, ne mange plus les habitants.
Cesse de les terroriser, tu es douce et gentille,
pas une bête sauvage.
Je te vois calme, sage et silencieuse.
Ne me trahis pas, sois gentille et obéis-moi.
Tu vas plonger profondément dans la mer.
Tu seras le gardien de la mer Égée ».

À ces mots, la bête décida d'obéir, mais elle resta quelques instants à regarder Martin Oisillon, comme si elle voulait le remercier pour ces jolis mots. Puis elle obéit à Martin. Elle plongea dans la mer et y resta. Elle était devenue la gardienne de la mer Égée, surveillant la mer et ne terrorisant plus les Grecs et les navires. La bête avait changé de caractère. Elle devint gentille, douce et obéissante. Elle avait des sentiments et comprit qu'elle avait fait des bêtises.

La récompense fut donnée à Martin. Tout le monde le remercia d'avoir transformé le poulpe géant et féroce en un poulpe docile aimant et protégeant les hommes.

Le poulpe devint l'ami de Martin et des Grecs. Un jour, les Perses voulurent attaquer les Grecs par surprise. Mais le poulpe avait vu les bateaux perses entrer dans la mer Égée. Ainsi, il les avait avertis. Grâce à lui, les Grecs se préparèrent pour la bataille et remportèrent la victoire.

Un an plus tard, le poulpe gagna totalement la confiance des Grecs. Acabell le considéra comme un ami fidèle. Il l'appela « Φίλος », qui voulait dire « ami » en grec. C'est ainsi que vécut paisiblement la ville d'Athènes et qu'elle resta la première puissance économique au monde.

3

En cachette, à la poursuite des bandits

(Classé parmi les cinq premiers dans le concours de nouvelles de l'association Encres Vives en 2015)

Depuis ce fameux jour, j'aimais bien m'amuser au jeu « en cachette ». J'appelai ce jour : « le jour de la gloire ». Je fus bel et bien récompensé pour l'acte que j'avais réalisé pour mon pays. Ce jour, je fus une star très connue dans le pays. J'apparus dans les journaux et à la télévision. Je devins ce jour-là un policier de onze ans commençant une nouvelle vie à la poursuite des bandits. C'est ainsi que je conclus par cette phrase : « C'est vraiment mon jour de gloire ».

Ce jour-là, j'étais en train de m'amuser avec mes quatre amis, qui sont Flabius, Julien, Nicolas et Alex. Chaque jour, c'était à l'un d'entre nous de choisir le jeu auquel nous allions jouer. Cette fois, c'était à mon tour de choisir le jeu. Je proposai un jeu d'espionnage. C'était un jeu que j'avais inventé. Je le présentai à mes copains :

– Aujourd'hui, j'ai décidé de choisir un jeu d'espionnage. Nous allons nous placer dans des boîtes qui nous serviront de cachette, suivre des personnes au hasard et les décrire sur des feuilles que nous lirons après, exposai-je à mes amis.

– Quel est le but de ce jeu ? demanda Julien.

– Nous allons sélectionner ensemble les rapports dans lesquels il y a le plus de détails, expliquai-je à Julien.

– J'adore ce jeu et je suis sûr que cela va être génial ! cria de joie Flabius.

Nous nous éloignâmes les uns des autres et allâmes chercher de grandes boîtes cartonnées chez nous, pour nous mettre en cachette. Nous fûmes très rigolos dans ces boîtes. Puis, chacun de nous suivit un homme. Moi, je suivis un homme de grande taille portant un chapeau et une chemise semblables à ceux d'un inspecteur de police. Je le suivis tout le temps et dans tous les endroits où il allait. Nous prîmes la rue de la Villette après avoir longuement marché sur le boulevard Marius Vivier Merle.

Il n'y avait personne dans cette rue. C'est là qu'apparut une porte secrète. Une grande porte surgit quand l'homme prononça un mot de passe. Son adresse était écrite sur une pancarte accrochée à la porte : 56, rue de la Villette. L'homme ouvrit la porte et entra. La taille de la porte m'avait étonné. Je voulais savoir ce qu'il y avait derrière. J'entrai à mon tour et vis un autre monde. La maison était recouverte d'or, de bijoux et de diamants. C'était vraiment une maison magnifique et étonnante ! C'était une maison bizarre. Tous les meubles qui s'y trouvaient étaient en or. Comment cet homme avait-il pu réunir un tel trésor ? Où cet homme avait-il pu se fournir cette grande fortune ? Je n'eus jamais aussi peur de ma vie. J'eus la chair de poule et me dis que je n'aurais jamais dû imaginer un tel jeu. Quelle grosse bêtise avais-je faite !

Quelques minutes plus tard, l'homme entra dans une autre salle, qui était plus belle que la précédente. C'était une salle de réunion. Il y avait au centre de la salle une table. Il y avait aussi sept chaises, où six personnes étaient déjà installées. L'homme les rejoignit aussitôt et se mit à discuter avec eux. Je pus déduire que celui qui venait d'entrer dans la salle s'appelait Fred.

– Bonjour, Fred, qu'as-tu de nouveau ? As-tu réussi à voler les cinq cents milliards d'euros de la banque centrale ? interrogea l'un des hommes.

– Non, Charles, je dois te dire que dans la banque centrale, il y a plusieurs policiers. Je n'ai pas osé y mettre les pieds, balbutia Fred.

– Mais Fred, tu es devenu fou ! Tu n'as pas volé cette fortune ? C'était une occasion, aujourd'hui ! cria l'homme en tapant sur la table.

Je sortis mon téléphone, dans lequel il y a un magnétophone, et enregistrai toute la conversation. Malheureusement, par maladresse, mon téléphone glissa de mes mains et tomba par terre, entraînant un énorme bruit (Clac !). Les gangsters entendirent le bruit et se mirent à courir pour voir ce qui se passait. Je ramassai mon téléphone et courus à toute vitesse dans ma cachette, essayant de m'échapper et de m'évader. Hélas, les malfaiteurs firent disparaître la porte. Je devins leur prisonnier. « Pas de mouvement brusque », me dis-je. Il n'y avait aucune issue pour tenter de s'échapper.

Caché sous un canapé, je me calmai et me dis : « Ces malfaiteurs ne m'auront jamais ». J'eus soudain l'idée d'envoyer un message téléphonique à ma mère. Hélas, je n'avais plus de crédit. J'entendis les gangsters crier à très haute voix « Chenapan, viens ici. Tu ne nous échapperas pas, ton compte est bon ». Je vis devant moi un paquet de billes, je le pris et le jetai par terre, espérant disperser les billes par terre, qui pourraient faire tomber mes poursuivants. Mon idée réussit. Je courus directement vers un autre endroit pour me dissimuler à nouveau. Je vis un endroit où il y avait plusieurs boîtes. Puisque j'étais moi-même en cachette dans une boîte, les voleurs ne me trouveraient jamais. Il suffirait d'attendre l'arrivée de la police, qui viendrait sans doute.

C'était réussi ! Les hommes n'arrivèrent pas à me repérer. Il y avait beaucoup de boîtes dans cette salle. Après un long moment, ils surent qu'ils n'allaient jamais m'attraper. Ils s'assirent, désespérés, croyant que j'étais un espion qui voulait les dénoncer. Après une heure, j'eus très faim et je voulus manger quelque chose, mais que pouvais-je faire ? me dis-je. Je restai à ma place, attendant un nouvel événement qui pourrait changer la situation.

Tout à coup, la sonnerie de mon téléphone retentit. C'était Flabius qui m'appelait. Les bandits entendirent son appel. Je fus obligé de lui répondre et de lui dire à voix basse : « Flabius, sauve-moi. Je suis au 56, rue de la Villette, chez des bandits qui veulent m'attraper. Appelle la police et dépêche-toi. C'est une porte secrète ». Cette fois-ci, je crus que c'était fini, les bandits avaient repéré ma cachette. Je commençai à courir comme un fou dans tous les endroits, attendant les secours. Je trouvai devant moi un paquet d'œufs. Sans réfléchir, je le jetai sur les bandits. Puis, sans m'arrêter, je continuai à courir. La maison était immensément grande. Les ravisseurs coururent derrière moi jusqu'à l'instant où je vis un pistolet, perdu par un des bandits qui était tombé après avoir glissé sur un œuf. Je le saisis dans mes mains et criai « Arrêtez-vous ! ». C'était la première fois que je tenais un revolver dans mes mains. Cette fois-ci, j'étais obligé de le faire, car ma vie était en danger. Les bandits furent à ma merci et n'osèrent plus bouger. Je leur dis :

– Bandits, arrêtez-vous. Vous allez jurer d'arrêter de cambrioler les banques. Et surtout, ne bougez pas, car si vous faites le moindre geste, la police arrivera, dis-je en tenant le pistolet dans mes mains.

– Oui monsieur, je jure que je ne volerai plus les banques, répondit un voleur avec une grande peur.

– Maintenant, attendez sagement l'arrivée de la police, poursuivis-je sur un ton sévère.

À cet instant, je sentis un sentiment étrange : celui de la confiance en soi. Être en cachette et poursuivant, sans le savoir, des bandits, m'apprit le courage. La police ne tarda pas à venir, mais elle ne put voir la porte, car les bandits l'avaient fait disparaître. Les bandits refusaient de la refaire apparaître. Ils ne voulaient pas que la police les attrape. Je les menaçai à nouveau avec mon arme. Là, ils obéirent sans discuter. L'un d'eux se leva et dit le mot de passe qui commandait la réapparition de la porte. Le mot de passe était « Refus ». Accompagnés de la police, mes quatre copains étaient venus. Je montrai à la police l'enregistrement que j'avais fait avec mon téléphone. Celle-ci les arrêta tout de suite. C'étaient les plus grands bandits de la métropole. La police ramena la fortune à la banque et me félicita énormément. Mes copains me dirent que le jeu « En cachette » était bien dangereux. Néanmoins, j'avais gagné. J'étais allé, secrètement caché dans une boîte, chez les plus grands bandits du pays, et les avais dénoncés à la police. Même si c'était un hasard d'aller chez des bandits, j'avais réussi et je devins un héros très connu à l'âge de onze ans. Tout cela, grâce à un simple jeu que j'avais inventé, « En cachette, à la poursuite des bandits ».

Je fus aussi invité au commissariat de police. Le commissaire dit devant un grand public :

– Je donne le prix et le diplôme du jeune policier à monsieur Martin Oisillon, le récompensant pour sa fidélité envers son pays. Le 9 mars 2017, Martin Oisillon est parti en cachette à la maison des sept bandits appelés « Les chauves-souris noires » et a dénoncé leur demeure à la police. Grâce à lui, nous avons ainsi pu les attraper et reprendre les fortunes qu'ils avaient dérobées au peuple. C'est un enfant de onze ans qui a fait preuve d'un grand courage.

Puis il m'a offert le diplôme et le prix du jeune policier :

> *Diplôme du jeune policier*
> *Nous vous félicitons, monsieur Martin Oisillon, pour votre bonté. Vous avez fait preuve d'un grand courage et attrapé « la bande des chauves-souris noires ». Nous vous remercions.*
> *Sincères salutations*
> *Marius Clodus, commissaire de Lyon*

Mes parents et toute ma famille furent fiers de moi. Chez moi, le meilleur jeu que j'ai connu est « En cachette, à la poursuite des bandits ». Je n'y jouai plus avec des bandits, mais avec mes amis. Avec mes amis, j'étais un espion et cherchais Flabius, Alex, Nicolas et Julien, qui prenaient le rôle de bandits !

4

Le prédateur sans pitié

La nuit du 16 novembre de cette année, dans le Mercantour, fut une affreuse nuit. Tout à coup, les loups hurlèrent, annonçant ainsi leur arrivée. Il était minuit. Les corbeaux, terrorisés par les hurlements, croassèrent. Une meute de neuf loups attaqua les moutons dans les montagnes. Pendant que les bergers dormaient, les loups dévorèrent sans pitié les moutons. Cette nuit, quinze moutons furent les victimes des loups. Le mouton, pauvre animal à peau blanche comme la neige, ne put rien faire pour se défendre.

Le loup commence à poser un problème aux éleveurs de moutons de la France. Cet animal carnivore, de la famille des canidés, pèse de vingt-sept à cinquante-quatre kilogrammes. Mis en liberté, il peut vivre jusqu'à douze ans.

Lorsque les bergers se réveillèrent au petit matin, ils découvrirent un spectacle catastrophique. Furieux, ils se dirigèrent vers la mairie de Saint-Martin-Vésubie, où ils établirent plusieurs rapports. Chaque année, c'était la même chose. Tout se répétait, année après année. Par an, le nombre des victimes du prédateur était de deux cent trente environ.

Ce matin-là, la mairie voulait que les problèmes causés par les loups s'arrêtent. Elle réfléchit et trouva une solution. Elle organisa une réunion en présence du maire de Saint-Martin-Vésubie, des maires des autres villes et de quatre représentants des bergers de France.

Cette réunion fut présidée par le maire de Saint-Martin-Vésubie. Elle se déroula à Nice, une ville des Alpes-Maritimes, proche du Mercantour.

La réunion eut lieu dans une très grande salle de la mairie de Nice. Tous les maires étaient installés sur des chaises. En face d'eux, les représentants des bergers, qui les regardaient attentivement. La réunion commença quand le maire de Saint-Martin-Vésubie introduisit le sujet.

Monsieur Martin Oisillon (maire de Saint-Martin-Vésubie) prit la parole :

– Mesdames et messieurs, je vous ai tous réunis pour discuter à propos des sauvages prédateurs (les loups) qui menacent les bergers de nos villages en attaquant la nuit nos moutons. De nombreuses plaintes ont été déposées les nuits précédentes et nous voulons trouver une solution.

– Je confirme qu'il faut trouver une solution. On ne peut pas laisser les moutons de notre pays mourir ainsi, affirma le maire de Paris.

– La bête n'a pas seulement fait des victimes à Saint-Martin-Vésubie, elle en a fait presque dans tous les départements français où vivent les loups. Exemple : dans la région Rhône-Alpes, plusieurs bergers se sont plaints des loups et veulent trouver une solution. À mon avis, il faudra tuer tous les loups. S'il n'y a plus de loups, nous vivrons d'une façon meilleure, affirma le maire de Lyon.

– Effectivement, vous voyez que ces régions sont victimes des loups. Monsieur le maire de Lyon, je me permets de vous dire que tuer n'est pas la bonne solution. Si l'on tuait les loups, cela entraînerait un déséquilibre écologique. Sans la présence des loups, certaines espèces peuvent disparaître et d'autres apparaître. Donnons maintenant la parole aux représentants des bergers pour avoir leurs avis, dit le maire de Saint-Martin-Vésubie.

– La nuit, les prédateurs viennent manger nos moutons. À mon avis, ce qu'il faudrait faire, c'est chasser les loups et les éloigner de nos moutons, dit un représentant des bergers.

– Après avoir entendu le représentant des bergers, j'en conclus qu'il faudra isoler une des deux espèces et les éloigner l'une de l'autre. Cependant, j'ai une meilleure idée. Celle-ci est de donner de la nourriture à tous les loups, pour qu'ils n'aient plus faim. De ce fait, ils n'attaqueront plus les moutons. De plus, on mettra un ou deux observateurs qui surveilleront dans chaque région les moutons. Ainsi, les deux espèces vivront bien, conclut le maire de Saint-Martin-Vésubie.

Après cette réunion, tout le monde accepta l'idée du maire de Saint-Martin-Vésubie et décida de l'appliquer. Le lendemain, les maires donnèrent aux bergers de la viande de lièvre. Ces derniers la mirent à la disposition des loups pour qu'ils la mangent. Ils désignèrent aussi deux surveillants pour garder les moutons.

Les loups, ayant aperçu la viande de lièvre, dirent :

– Je crains que ce ne soit un piège. Qu'est-ce qu'on fait ?

– Dérobons la nourriture et allons-y, je pense, dit le chef de la meute de loups.

– À mon avis, il ne faut pas s'en approcher, balbutia un autre loup.

– Ayez courage et n'ayez pas peur, cria le chef de la meute de loups avec fierté.

Les loups dérobèrent la viande et la mangèrent. Toutefois, la nourriture donnée n'était pas suffisante pour tous les loups. Alors, ils revinrent la nuit et attaquèrent à nouveau les moutons. Les surveillants eurent très peur des prédateurs et voulurent s'enfuir. S'ils ne s'enfuyaient pas, ils pouvaient mourir.

Le lendemain, les maires apprirent ce qui s'était passé durant la nuit. Alors, ils mirent plus de nourriture aux loups. Les loups la dérobèrent à nouveau. Cependant, elle était aussi insuffisante, certains loups n'ayant même pas obtenu leur part de viande. Ils décidèrent alors de réattaquer les moutons. Pendant sept jours, la même scène se répéta durant la nuit.

Cependant, à la huitième nuit, les gens remarquèrent que les pertes en lièvre étaient plus grandes que celles des moutons mangés par les loups. Les maires réfléchirent à nouveau pour trouver une autre solution. Le maire de Saint-Martin-Vésubie dit : « Il vaut mieux ne pas modifier la nature. Depuis des années, les loups mangent les moutons. C'est une habitude pour eux. Il faut laisser les loups manger les moutons. Nous rembourserons aux bergers le prix des moutons mangés par les loups, mais laissons le prédateur se nourrir et vivre parmi nous. Ne déséquilibrons pas la nature ! »

5

La beauté et les apparences
sont trompeuses

En l'an 2985, il y avait au Havre un riche agriculteur qui avait un fils. Celui-ci habitait dans un grand château situé au bord de la mer. Le fils s'appelait Charles. Il avait vingt ans et était pharmacien. Il avait pour habitude de descendre toutes les nuits au centre-ville. Charles était très connu pour sa gentillesse et tout le monde le trouvait aimable. Tout le monde le connaissait et connaissait son père. Un jour, alors qu'il marchait comme d'habitude au Havre, il rencontra un homme très mal habillé, vêtu de vêtements misérables et ayant plusieurs blessures.

– Noble citoyen, je viens d'un pays très lointain. Aie pitié de moi et loge-moi chez toi pendant une nuit. Je suis sûr que tu accepteras, car tu m'as l'air généreux et sage, dit le misérable homme.

– D'où viens-tu, étranger ? Que fais-tu ici ? le questionna Charles.

– Je viens de Chine. J'étais pêcheur et ma barque s'est

écrasée ici. Demain, je rentrerai chez moi et te remercierai, si tu me laisses dormir chez toi cette nuit, répondit l'étranger.

– Sache, étranger, que ma maison n'est ni un centre d'accueil, ni une auberge pour les misérables. File donc, car je ne veux plus te voir. Moi, qui suis fils d'un seigneur, je ne vais pas accueillir un homme vêtu de haillons, dit méchamment Charles.

Cependant, l'homme n'était pas un humain. C'était un ange qui voulait connaître et tester la gentillesse de Charles. Il prit une ruelle et disparut en s'envolant dans le ciel.

Un passant avait entendu ce qu'avait dit Charles à l'étranger et l'a raconté à tous les habitants du Havre. Ces derniers cessèrent de le saluer et leurs sourires habituels disparurent. Personne ne savait pourtant que l'homme était un ange.

Charles se reprocha ce qu'il avait fait. Il trouva qu'il avait été méchant avec l'étranger. Désespéré, il alla raconter ce qui s'était passé à son père.

– Papa, aujourd'hui j'ai rencontré un individu vêtu de haillons qui m'a demandé de le loger chez nous pendant une nuit. Il a dit qu'il venait de Chine et que sa barque s'était écrasée près de chez nous. J'ai refusé de l'aider et me suis même moqué de lui, raconta Charles à son père.

– Mon enfant, pourquoi as-tu fait cela ? Nous avons plusieurs chambres dans le château. Comment toi, qui es connu comme aimable et gentil, as-tu pu te comporter de cette façon ? Je t'en veux pour ce que tu as fait. Et maintenant, va dans ta chambre, car je suis fâché contre toi, cria le père sur son fils.

La nuit, Charles ne put dormir en raison de ce qu'il

avait fait. Il n'arrêta point de faire des cauchemars. Il fit un mauvais rêve : il se promenait dans le centre-ville et tout le monde le haïssait. Puis, il se retrouvait dans une grotte, solitaire, et pleurait. Charles resta éveillé toute la nuit.

Le lendemain, il se leva de son lit et alla prendre un café. Il regarda la télévision jusqu'à quatre heures du soir. Puis, il sortit à nouveau au Havre pour se promener et se dégourdir les jambes. Cette fois-ci, il vit un jeune homme d'environ trente ans. Il portait de très beaux vêtements. Il s'arrêta devant Charles et lui dit :

– Jeune homme, je suis un prince du Royaume-Uni, je suis venu pour passer une nuit au Havre. Je voudrais savoir où je pourrais résider. Je resterai une nuit et le lendemain, je partirai pour Paris, dit le jeune homme.

– Prince, j'ai l'honneur de t'inviter chez moi. J'habite dans un grand château et mon père est un riche agriculteur. Fais-moi ce plaisir et viens chez moi, répondit Charles avec fierté.

– Merci, tu es gentil et aimable. Je te remercie, dit l'homme à Charles.

– Comment t'appelles-tu ? Je voudrais que nous fassions connaissance. Moi, c'est Charles, et toi ? demanda Charles.

– Je m'appelle Louis et je viens de Londres, répondit Louis.

– Enchanté de faire ta connaissance, Louis. Maintenant, allons nous promener au bord de la mer. Je suis sûr que tu aimeras, dit Charles avec joie.

Charles amena Louis au port du Havre. Ils se promenèrent ensemble puis achetèrent des bonbons et des gâteaux qu'ils mangèrent devant la mer. Ils discutèrent longtemps à propos de plusieurs sujets. Louis demandait beaucoup d'informations personnelles à Charles, comme s'il était un espion.

Après trois heures, Charles invita le prince à dîner dans le restaurant « Les Gourmands ». C'est un restaurant très connu, situé à côté du port du Havre. C'est un des meilleurs restaurants de France.

Charles, accompagné de Louis, revint tard chez lui. Son père était inquiet et craignait que quelque chose ne lui soit arrivé. Ils revinrent tous les deux à dix heures du soir.

– Papa, cet homme est un prince du Royaume-Uni et il partira demain à Paris. Il m'a demandé s'il pouvait rester et dormir cette nuit chez nous. J'ai accepté et nous sommes allés dîner au restaurant « Les Gourmands », décrivit Charles à son père.

– D'accord, Charles. Il n'y a aucun problème. Installe-le dans la chambre voisine de la mienne, dit le père de Charles.

Charles conduisit Louis à sa chambre et redescendit ensuite voir son père. Son père lui dit : « Charles, un prince du Royaume-Uni ne vient pas comme ça au Havre. Il est accompagné de la police et il va dormir dans les palais présidentiels. Je me demande si cet homme est réellement un prince ». Charles ne crut pas son père, il lui dit de se rassurer et que tout se passerait bien. Charles alla dormir dans sa chambre et éteignit la lumière. Aussitôt, il s'endormit et plongea dans ses rêves.

Louis, quant à lui, ne dormit point et resta réveillé. Ce n'était pas un prince. Le père de Charles avait raison : un prince n'arrive pas comme un voyageur ordinaire. Louis mentait, car il n'était pas un prince. C'était un voleur et un gangster qui voulait voler les fortunes du père de Charles. Il s'était bien habillé, s'était montré beau et aimable pour gagner la confiance de Charles afin de pouvoir pénétrer chez lui. Charles l'avait laissé passer la nuit chez lui. Il s'était fié aux apparences et à la beauté plus qu'à la vraie personnalité de Louis.

Le brigand ne dormit pas et descendit au rez-de-chaussée pour voler et ruiner le château du grand agriculteur. Il commença à faire sortir tout ce qu'il y avait dans les armoires. Il fouilla tout le château, espérant trouver quelque chose de précieux ou une fortune. Mais il ne trouva rien. Sa colère augmenta et il commença alors à courir comme un fou dans tous les coins du château. Il cassa tout et ne cessa point de chercher. Sans s'en apercevoir, le voleur loupa une marche dans les escaliers. Personne ne savait ce qui était en train de se passer. Ni Charles ni son père n'entendirent les bruits émis par le voleur. Paf ! Il tomba et se fit une entorse. Le voleur cria à très haute voix « Aïe ». Là, tous se réveillèrent et se demandèrent ce qu'il se passait. Ils se levèrent de leurs lits. Charles courut vite vers la chambre de son père et lui dit :

– Papa, quel était ce bruit qui m'a réveillé ? L'as-tu entendu ? J'ai entendu quelqu'un dire à haute voix « Aïe », demanda Charles avec une grosse peur.

– Oui, Charles, je l'ai entendu. Je me demande bien où est Louis. L'as-tu vu ? Est-il encore dans son lit ? dit le père de Charles.

– Allons vérifier cela. Vite, dépêchons-nous, cria Charles.

Charles et son père Martin Oisillon coururent vers la chambre où devait être Louis. Hélas, ils ne le trouvèrent pas. Ils furent surpris de ne trouver personne. Martin fut étonné de voir ses affaires par terre sur le sol et ses armoires tout ouvertes. « Que s'est-il passé pendant que nous dormions ? » dit Martin en voyant ses affaires jetées par terre. Charles eut très peur et sut qu'une chose était arrivée. Martin courut pour rejoindre le rez-de-chaussée. Il resta caché derrière un canapé, voulant savoir ce qui se passait. Il aperçut Louis ! Aussitôt, il cria et fut étonné. Charles s'en aperçut et voulut immédiatement régler l'affaire. Louis courut derrière le père de Charles. Martin courut et Louis le suivit tout en essayant de l'arrêter. Hélas, ce fut Louis qui gagna. Il attrapa Martin et le tint en otage. Il cria « Charles, j'ai attrapé Martin. Tu es arrivé trop tard ». Martin demanda à Charles d'appeler la police en composant le 505. Mais Charles n'obéit pas à son père et dit « Père, je ne t'écouterai pas. C'est moi qui ai amené cet homme chez moi et c'est à moi de le renvoyer. Ensuite, nous pourrons appeler la police ». Charles descendit les marches et cria :

– Lâche mon père, Louis. Tu ne devrais pas faire ça.

– Qui appelles-tu « Louis » ? Je m'appelle Franck et je suis un des plus grands brigands de France, rétorqua le bandit.

– Je t'appelle Louis parce que je te croyais être Louis. Si tu voles mon château, c'est parce que je t'ai donné l'occasion de le voler. Je suis le fautif parce que je t'ai fait confiance, dit Charles.

– Dis adieu à tes fortunes. Tu ne les reverras plus jamais, répondit aussitôt le brigand.

– Ton cœur te laisse-t-il faire une chose pareille ? Moi qui t'ai fait confiance, tu me trahis et me voles. J'ai préféré accueillir une personne belle et majestueuse plutôt que d'accueillir un misérable étranger vêtu de haillons. L'étranger ne m'aurait pas trahi et ne m'aurait pas volé, dit Charles.

– Tes paroles sont insensées, mon petit. Maintenant que tu m'as cru, tu ne peux plus rien faire, répondit le voleur.

– Selon le proverbe italien : « Maison ouverte rend l'homme honnête ». Sache, voleur, qu'une rose sans épines est nulle, comme dit le proverbe français, « Nulle rose sans épines », cita Charles.

Le voleur fut touché fortement par les paroles tristes de Charles. Il lâcha les fortunes de Martin et resta muet. Charles, ayant vu que son idée avait réussi, appela la police. Celle-ci ne tarda pas à venir. Elle arrêta l'imposteur Louis et le mit en prison. Martin fut fier de son fils, qui avait compris que la valeur d'une personne n'est pas appréciée par sa beauté, mais par sa personnalité.

La nuit, l'ange sous forme d'étranger revint pendant que Charles rêvait et lui dit dans son rêve : « Charles, je suis l'étranger qui t'a demandé de l'accueillir pendant une nuit. Sache que je suis un ange qui a voulu tester ta gentillesse. Mais je suis quand même fier de toi. Tu as compris que la beauté est trompeuse. Retourne à tes rêves et sois toujours prudent ! »

Le lendemain matin, Charles se leva et raconta son rêve à son père. Martin fut fier de lui. Charles gagna à nouveau sa réputation au Havre et vécut une vie paisible en aidant les gens en mauvaise situation.

6
Le fameux projet de l'AEGE

Il existait, en l'an 2999, une société qui travaillait sur l'espace. Celle-ci envoyait des navettes spatiales vers les planètes. Mais il était impossible pour elle de visiter Jupiter, en raison des mauvaises conditions météorologiques.

La société avait été fondée en 2522 par l'astronaute français Louis Berlin. Louis naquit à Nice en 2490 et mourut en 2562 à Nantes. En l'an 2514, il obtint son baccalauréat, puis son doctorat en physique.

Un jour, il s'attacha fortement à l'astronomie et décida de fonder la société AEGE. L'idée lui était venue en 2521.

L'AEGE obtint le prix de la meilleure société aéronautique et spatiale en 2527, après sa visite de Mars. L'AEGE est aussi allée en 2612 sur Neptune, en 2823 sur Saturne, en 2829 sur Uranus, en 2899 sur Mercure, et finalement, en 2907, sur Vénus. Ainsi, en 385 années, elle est allée sur six planètes du système solaire.

De 2907 à aujourd'hui (2999), l'AEGE n'est plus allée sur des planètes. Jupiter lui posait un problème. Les savants ne purent jamais le résoudre.

En 2926, l'AEGE envoya une navette spatiale appelée « Éclaire » vers Jupiter, contenant huit personnes. Celle-ci explosa une heure après le décollage et aucune personne n'échappa au massacre. La société perdit ainsi beaucoup de sa gloire.

Cette société était basée à Bekino (actuelle Pékin, capitale de la Chine). Elle était située à trente kilomètres de la Grande Muraille de Chine. On appelait cette société AEGE (Agence de l'expérimentation générale sur l'espace). L'AEGE voulait vraiment visiter Jupiter, pour savoir s'il y avait une gravité sur elle. Elle voulait aussi savoir s'il y avait des êtres vivants sur cette planète inconnue.

Un jour, le directeur de la société AEGE organisa une réunion pour discuter à propos de Jupiter. Tous les astronautes se réunirent dans une grande salle qu'on appelait « la salle polyvalente ».

Le directeur, Monsieur Le Fort, prit la parole :

– Nous avons plusieurs informations sur Jupiter, mais nous ne savons pas s'il y a une gravité sur Jupiter ou des êtres vivants sur cette planète.

– Monsieur le directeur, pouvez-vous me dire quel est le gigantesque anticyclone qui tourne autour de Jupiter ? demanda Julien Ravillon.

– Bonne question, Julien. L'anticyclone qui tourne autour de Jupiter s'appelle « la grande tache rouge », sa taille diminue d'une façon surprenante. Il a été découvert au XIXe siècle, répondit Le Fort.

– Monsieur, pouvez-vous me donner des informations plus précises sur Jupiter, pour que je puisse faire des recherches plus approfondies ? dit Acabell.

– Jupiter est une planète fluide. Elle est trois cents fois plus massive que la Terre. Un jour, sur Jupiter, dure moins de dix heures. Jupiter est la plus grosse planète, onze fois plus grande que la Terre. Son diamètre est de 142 800 km et elle est à 738,34 millions de kilomètres du soleil. Elle fait le tour de son orbite en onze années et neuf mois, expliqua Le Fort.

– De quoi est constituée l'atmosphère de Jupiter? demanda Vagner Ugas.

– L'atmosphère de Jupiter est constituée d'hélium et d'hydrogène. Il faut que nous allions sur Jupiter pour l'explorer. C'est sûrement une planète formidable, dit monsieur Le Fort.

– Est-ce qu'il y a des astronautes qui se sont approchés de Jupiter? questionna Julien Ravillon.

– Personne n'est allé sur Jupiter, mais la Terre a déjà envoyé des sondes spatiales pour explorer la planète de près. Parmi les plus importantes sondes, il y a eu Voyager 1 et Voyager 2, répondit Le Fort à la question de Ravillon.

Cette année-là, un savant qui travaillait dans la société AEGE dit que des Terriens pourraient enfin aller sur Jupiter, grâce à un phénomène chimique appelé « Klos ». Ce phénomène était très compliqué.

Ce savant s'appelait Julien Dufrois. C'était un très grand savant chinois. Il était né à Shanghai en 2978. Il avait déjà résolu plusieurs phénomènes et avait obtenu le doctorat de savant en 2995. Monsieur Le Fort tenait toujours compte de ses avis et de ses rapports.

Il dit que tous les mille ans, au début de l'an trois mille, cent étoiles allaient changer de couleur et devenir rouges dans la même minute, et cela pour une durée de trois jours. Durant ces trois jours, les conditions météorologiques allaient devenir meilleures. Il n'y aurait plus de météorites qui pourraient écraser la navette spatiale. Ainsi, ils pourraient enfin réaliser leur projet, attendu depuis des décennies.

Les astronautes passèrent un mois à la construction de la fusée. Ils travaillèrent tout le temps. Elle était constituée d'une charge explosive, d'un mélange d'eau et d'alcool, d'oxygène liquide, d'un réservoir d'hydrogène, d'un moteur perfectionné, d'un déflecteur de jet… Finalement, elle eut trois étages et ressemblait à la fusée Apollo 11 (1969). Les astronautes appelèrent la fusée « Zeus 21 ». Elle était terminée. Elle était grande et immense. La chambre de pilotage était spacieuse. Son moteur fonctionnait avec l'énergie nucléaire. Cet engin était vraiment épatant ! Pourtant, les savants trouvèrent qu'une fusée n'allait pas suffire. Ils en construisirent une centaine en cinq mois. Chacune des fusées portait le nom « Zeus 21 », mais aussi un autre nom, comme « Parisi ». Les combinaisons spatiales furent aussitôt préparées pour les personnes qui allaient voyager dedans.

Le 1ᵉʳ janvier 3000, à zéro heure, lors des feux d'artifice du Nouvel An, les savants regardèrent le ciel pour voir si les cent étoiles allaient changer de couleur.

Oui, elles devinrent rouges. Leur projet prenait enfin corps, le ciel était entre leurs mains. Les fusées spatiales Zeus 21 étaient prêtes à décoller.

Les fusées décollèrent à minuit en direction de Jupiter. La Terre avait encore peur. Elle appelait les fusées, mais aucune ne répondait. La Terre, inquiète, dit à toutes les fusées, dans le micro :

– Allô, ici la Terre, où êtes-vous ? Les conditions météorologiques sont-elles bonnes ? Répondez ! s'étonna la Terre suite au silence.

– Allô, ici Zeus 21 Auckland, les conditions météorologiques sont pour l'instant bonnes. Dieu seul sait ce qui va se passer. Par ailleurs, il y a une grande pression

dans la fusée. Nous avons de la difficulté à respirer, répondit
la fusée Zeus 21 Auckland.

    – Courage, continuez. Tout se passera à merveille,
encouragea la Terre. Mais les autres fusées ne répondent
pas à nos appels...

    La Terre resta très inquiète pour les 99 autres fusées.
Heureusement, après quinze minutes, toutes répondirent
aux appels de la Terre.

    Les conditions météorologiques furent agréables.
Cependant, à l'approche de Jupiter, il y eut un gros
problème. À un rayon de cent mille kilomètres de Jupiter,
il y eut un magnétisme forçant les navettes à tourner
autour de la planète. Toutes les navettes spatiales
commencèrent à tourner autour de Jupiter, ce qui causa
plusieurs dégâts. Après deux heures de la perte de contrôle,
il n'y eut que dix fusées sur cent qui résistèrent aux
secousses. Les dix fusées envoyèrent des messages à la
Terre. Finalement, les fusées décidèrent d'allumer le
moteur atomique pour que les appareils puissent sortir de
cette zone. Elles atteignirent une vitesse incroyable. Neuf
de ces fusées s'écrasèrent, une seule résista et arriva sur
Jupiter après avoir aussi connu plusieurs dégâts.

    Le voyage fut fatal pour neuf cents astronautes. Le seul
ayant réussi à arriver sur Jupiter fut le général Oisillon. Dès
qu'il descendit de l'appareil, il tomba, car il y avait de la
gravité. Oisillon sortit son appareil calculateur de la
gravité, le « gravimètre ». C'est un instrument de mesure
qui calcule la pesanteur et la gravité. Oisillon trouva alors
que la gravité de Jupiter était égale à 24,79 mètres par
seconde carrée. Sur Terre, celle-ci est de 9,807 mètres par
seconde carrée. Le général Oisillon fut le premier Homme
à marcher sur Jupiter. Le mystère de l'AEGE fut résolu.

On connaissait maintenant la gravité sur Jupiter.

Oisillon eut très froid. La température était de moins cent cinquante-trois degrés Celsius. On aurait dit que la planète était inhabitée et déserte. Il n'y avait pas le moindre bruit ou la moindre chose qui bougeait. C'était un désert glacial. Le général Oisillon fut très content de savoir qu'il était le premier Homme à marcher sur Jupiter. Il entrerait dans l'histoire de l'AEGE et deviendrait très célèbre.

Sa joie ne dura pas longtemps. Des personnages s'approchèrent d'Oisillon. Ils étaient de petite taille, de couleur verte et avaient plusieurs taches rouges. Ils parlaient entre eux une langue bizarre. Celle-ci contenait quelques mots français. Apparemment, ils avaient un système de sécurité qui captait les navettes spatiales. Celui-ci avait capté la navette spatiale de Martin Oisillon. Les Jupitériens amenèrent avec eux Oisillon dans un appareil. Il ressemblait fortement à une voiture, mais celui-ci était beaucoup plus perfectionné. Ils amenèrent Oisillon dans une prison, où ils l'enfermèrent.

Le pauvre astronaute n'était venu que prouver à la Terre que les humains n'étaient pas les seuls êtres vivants dans le monde. L'homme ne cessa point de pleurer. Il regretta d'être venu sur Jupiter. À l'aide de son micro, le jeune héros raconta tout ce qui se passait à la Terre. L'AEGE fut surprise par ses paroles, elle ne le crut pas.

Une nuit s'écoula et, le lendemain, les habitants de ce monde, appelés les Jupitériens, vinrent. Ils prirent Oisillon et le ligotèrent. Puis, ils le poussèrent et l'amenèrent dans un bâtiment. Il s'aperçut qu'il était face à un tribunal. Un petit habitant qui avait un masque prit la parole. Il parla en langue jupitérienne. Oisillon ne comprit pas son langage.

C'est alors qu'il cria en langue française « Laissez-moi ma liberté, je veux être libre ».

Le juge lui passa un petit clavier et lui demanda d'écrire ce qu'il voulait dire. C'était un traducteur de langue : un petit clavier, accompagné d'un écran, qui servait de traducteur. Oisillon écrivit sa phrase sur la machine, puis expliqua pourquoi il était venu ici. Les Jupitériens furent étonnés par ses phrases, ils ne crurent pas à l'existence des humains. C'est ainsi que le général Oisillon leur écrivit sur la machine : « Les humains veulent être les amis des Jupitériens. Mes frères, soyons en paix et amis, pour que nous vivions de façon meilleure ». Les Jupitériens furent très contents et décidèrent de libérer le général Oisillon. Ils l'amenèrent chez eux et le logèrent dans une belle maison au cœur de la ville. C'était une très grande ville ayant des gratte-ciel. Il y avait aussi des centres commerciaux, des restaurants et des hôtels. On aurait cru la Terre, mais cent ans après. Les Jupitériens étaient très évolués. Oisillon se rendit compte qu'ils étaient plus développés que les humains. Sincèrement, c'est étonnant ! Les humains ne croyaient même pas en l'existence des Jupitériens !

Les Jupitériens amenèrent Oisillon dans un grand palais et lui présentèrent un Jupitérien. Ils lui écrivirent sur le traducteur : « Nous vous présentons Zoric, notre chef ». C'était un Jupitérien très gentil, qui a très bien accueilli l'astronaute.

Les Jupitériens rendirent la relation amicale entre le chef des Jupitériens, Zoric, et Oisillon. L'astronaute pouvait à tout moment le rencontrer. Cependant, il communiqua tout à la Terre :

– Allô, Jupiter à la Terre, les Jupitériens m'ont libéré et

m'ont logé dans une belle maison, annonça Oisillon à la Terre.

– Allô, Terre à Jupiter, les Jupitériens existent-ils vraiment ? Comment sont-ils ? demandèrent les astronautes sur Terre.

– Oui, ils existent ; ce sont de petites créatures vertes. Ils sont mignons, mais ils peuvent être méchants. Ils m'ont libéré quand je leur ai dit que nous voulions la paix avec eux, répondit le général Oisillon.

– Général Oisillon, vous devez rentrer sur Terre dans un délai de deux jours. Sinon, vous serez prisonnier de Jupiter pendant mille ans. Les conditions météorologiques vont redevenir mauvaises, annonça la Terre.

– Que vais-je faire ? La navette spatiale a été détruite après le brutal atterrissage sur Jupiter, dit tristement le général Oisillon.

– Vous devez trouver une solution, insista la Terre.

Le pauvre Oisillon ne pouvait plus rentrer chez lui. Il sortit de la maison et alla voir le juge pour lui expliquer la situation. Le juge ne sut pas quoi faire. Il dit qu'il pouvait construire une fusée, mais dans un délai d'un mois. Qu'allait faire Oisillon ? Il réfléchit longtemps, mais il n'avait pas d'idée. C'est alors qu'il se rappela le jour où il avait regardé le ciel et vu que son projet allait se réaliser.

Soudain, une voix dans sa tête lui demanda de regarder autour de lui. Oisillon fixa les débris de sa navette spatiale.

La voix lui dit qu'il pouvait utiliser les débris pour former une autre navette spatiale. C'était la voix des anges, eux qui ne laissent pas quelqu'un tout seul.

Oisillon se précipita vers Zoric et lui demanda de lui fournir le matériel nécessaire pour qu'il puisse réparer sa navette spatiale. Celui-ci accepta. La Terre était impatiente d'entendre les réponses du général Oisillon. Ce dernier ne voulait pas leur raconter l'histoire de la voix dans sa tête. Il préféra garder le secret pour lui seul.

Oisillon était un grand ingénieur avant qu'il ne devienne astronaute. Avec l'aide des Jupitériens, Oisillon put facilement réparer la navette spatiale. Le seul problème fut le temps qui passait. Le travail ne pouvait se terminer que dans trois ou cinq jours. Cependant, Zoric fit appel aux plus grands mécaniciens de la ville, mais aussi à ceux des autres planètes voisines. L'union fit la force. Le travail se termina et la navette spatiale fut réparée. Oisillon eut très peur de ne pas pouvoir finir à temps.

Il ne restait plus que treize heures avant la fin du phénomène Klos (le fait de l'amélioration des conditions météorologiques). Oisillon fut triste de quitter ses amis. Les Jupitériens lui furent fidèles et l'aidèrent. Néanmoins, le général devait les quitter. Il partit quand le compte à rebours fut terminé. Il annonça à la Terre son arrivée. Elle fut contente.

La fusée parcourut la moitié du chemin, il ne restait plus que deux heures de voyage. S'il les dépassait, il serait mort et victime de l'espace. Ainsi, Oisillon avait doublé et même triplé la vitesse. Cela lui causa des douleurs terribles. Il crut que son crâne allait exploser. Ses os remuèrent et on aurait cru qu'ils allaient éclater.

Plus que trente minutes avant l'arrivée sur Terre… Oisillon s'évanouit. Aucune communication de la Terre ne lui parvint. La station de Bekino prépara la zone d'atterrissage. La navette atterrit une minute avant la disparition du phénomène Klos.

On ouvrit la porte et on trouva Oisillon évanoui. On lui

fit respirer de l'oxygène. Il reprit connaissance petit à petit et fut content d'être à nouveau sur Terre. Il était le seul, parmi les autres astronautes, à être arrivé sur Jupiter. La Terre le félicita en lui donnant le prix du Grand Astronaute. La Terre sut qu'il y avait des êtres vivants sur Jupiter. C'est alors qu'il y eut des relations entre la Terre et Jupiter. Les Jupitériens vinrent visiter la Terre et les humains allèrent sur Jupiter. Tout cela, grâce à l'AEGE, mais surtout au général Oisillon. Ainsi, la société spatiale regagna sa bonne réputation.

7

Une aventure au cirque

(1er prix au concours de nouvelles
de la bibliothèque « Loisirs et Rencontres » en 2015)

Alfredo, le clown, allait faire son entrée sous le chapiteau lorsqu'un bruit étrange retentit. Le public tourna la tête pour voir ce qui s'était passé. J'étais parmi le public et fus surpris par le bruit.

Je m'appelle Martin. J'étais avec mes parents et nous sommes allés au cirque de Bordeaux. C'était le jour de mon anniversaire et j'étais sûr que j'allais bien m'amuser au cirque de Bordeaux. C'est un cirque italien qui est annuel. Tous les ans, en août, ce cirque s'installe à Bordeaux durant un mois. Son directeur est un Italien qui s'appelle Ravilloné. Mon clown préféré est Alfredo.

On aurait cru un bâtiment qui s'écroulait. Deux secondes après, on entendit les sirènes des voitures de la police. Puis, plusieurs voitures de la sécurité arrivèrent. Trois policiers descendirent et s'approchèrent du chapiteau. De notre côté, nous n'avions rien compris. Ceci faisait-il partie du spectacle ? Sincèrement, je ne le croyais pas. Puis, une tigresse apparut et courut pour attaquer la police. Moi, je compris que la tigresse s'était échappée de sa cage et voulait nous attaquer.

Le directeur du cirque s'avança vers le micro et cria en italien « Scappa ! ». Je ne comprenais pas l'italien, mais mes parents me dirent que cela signifiait « Fuyez ! ». Tout le monde sortit du chapiteau. Je courus lentement, car je n'étais pas habitué à un tel événement. Hélas, la porte se referma et je fus prisonnier du chapiteau avec le clown Alfredo et deux jongleurs. Même les policiers ne purent pénétrer dans le chapiteau. Mes parents furent énormément inquiets et eurent peur que je ne devienne la proie de cet animal carnivore et sauvage. J'approchai d'Alfredo :

– Monsieur, j'ai peur. Que puis-je faire ? demandai-je avec une grande peur.

– Mon petit, je n'en ai aucune idée. Jamais Tigrisse (la tigresse) ne s'est agitée de cette façon. Je ne sais pas pourquoi elle fait comme ça… Elle est d'habitude douce et calme. Maintenant, elle est devenue sauvage ! me répondit Alfredo.

– Monsieur, vous êtes le seul à pouvoir faire quelque chose. Des vies humaines sont en danger. Réfléchissez bien, lui dis-je.

– Il faut que tu m'aides. Ensemble, nous pourrions gagner, répondit le clown.

Alfredo s'approcha des deux autres jongleurs et leur dit :

– Mes amis, il faut que nous réagissions, faute de quoi, cet animal nous mangera crus. Avez-vous des idées ? demanda Alfredo aux jongleurs.

– Moi, je n'ai aucune idée… Je pense qu'il faudrait

ouvrir la porte à la police. Elle pourrait nous aider...
bégaya un jongleur.

Le jongleur n'avait pas terminé de parler que la
tigresse voulut se jeter sur nous. Nous courions et elle était
derrière nous. Moi, j'eus la chair de poule. Nous criâmes
« Au secours ! ». La police tenta alors d'enfoncer la porte
pour entrer. Mais elle était bloquée de l'intérieur. Nous
courûmes vers un endroit où nous nous rassemblâmes et
discutâmes :

– Écoutez-moi et dites-moi : qui a ouvert la porte de la
cage des tigres ? demanda Alfredo, d'un air fâché.

– Alfredo, c'est moi. Excusez-moi, je n'ai pas fait
exprès, dit un des jongleurs.

La tigresse s'approcha beaucoup d'Alfredo. Nous
crûmes qu'elle allait le tuer. Pourtant, elle commença à le
caresser en mettant sa langue sur son visage. L'animal ne
voulait pas nous tuer. Puis, Tigrisse feula tristement. Nous
ne comprenions pas ce que voulait dire l'animal. Cependant,
son maître, Alfredo, comprit tout. Il dit : « Tigrisse veut sa
liberté ! Cela fait dix ans qu'elle n'est plus en liberté et qu'elle
est chez nous ».

Tigrisse était fidèle et n'avait pas attaqué Alfredo. Elle
lui avait simplement demandé « la paix et la liberté ». Un
animal est un être vivant comme nous. Il vit et respire.
Les gens négligent le fait qu'un animal a des sentiments
comme nous. Il comprend et n'est pas bête. Son seul défaut
est qu'il ne peut pas s'exprimer.

Un des jongleurs se leva et nous dit :

– Alfredo, qu'allons-nous faire ?

– Allons-nous lui donner sa liberté ? demanda
bêtement l'autre jongleur.

– John, je respecterai toujours le droit des animaux.

Il faut toujours reconnaître que ce sont des êtres vivants comme nous. Ce qui veut dire que je lui donnerai son droit à la liberté, car elle l'a bien mérité. Elle m'a été fidèle durant toute cette période, répondit Alfredo, mon clown préféré.

– Mais où vas-tu l'abandonner ? redemanda le jongleur à Alfredo.

– John, l'abandonner ? Ce n'est pas la bonne solution. Je ne l'abandonnerai pas en lui donnant sa liberté, au contraire, je vais l'aider. Je ne l'abandonnerai pas mais la remettrai à la police, qui se chargera de la mettre dans une forêt protégée. Nous devons offrir à ce pauvre animal ses droits. Il a besoin de liberté et de paix, insista le clown.

La police entra et enfonça la porte. Alfredo leur raconta l'histoire qu'il avait vécue avec Tigrisse. Elle s'étonna : la tigresse était restée fidèle et n'avait pas attaqué son maître. La situation d'urgence fut levée. La police prit en charge la tigresse. Elle la remit au ministère des Forêts, qui lui redonna sa liberté. C'est son vrai lieu de vie et sa vraie famille : son milieu, son entourage et sa maison. Le ministère des Forêts vota une nouvelle loi disant que tout cirque qui utilise un animal pour une durée de plus d'un an sera sanctionné. Moi, je retournai chez mes parents et leur racontai ce qui s'était passé. Quelle aventure !

Il faut songer à la liberté des animaux. Les animaux pleurent pour avoir la paix.

Je leur dis :

– Papa, Maman, vous savez ce qui s'est passé ? C'est épatant ! criai-je à mes parents, content de les revoir.

– Que s'est-il passé, Martin ? J'ai eu peur que quelque chose ne te soit arrivé, demanda papa avec une grande peur.

– Au contraire, papa, j'ai appris qu'il faut toujours reconnaître les droits des animaux. Il ne faut jamais négliger le fait que les animaux ont des droits, dis-je fièrement à mon père.

– Martin, certes, ce que tu dis est juste. Comment as-tu appris cela ? m'interrogea papa, voulant savoir ce qui s'était passé.

– Papa, tu vois, le bruit que nous avons entendu, c'était une tigresse qui s'était échappée par erreur de sa cage. Tout le monde a cru qu'elle allait nous dévorer. Mais l'animal était très fidèle. Il ne nous a rien fait. Il s'était échappé seulement pour montrer qu'il voulait sa liberté. Comme il ne pouvait pas s'exprimer, c'est Alfredo, mon clown préféré, qui a tout compris, racontai-je à papa.

– Bravo Martin, je suis fier de toi. Maintenant, tu connais la fidélité de l'animal envers son maître. Même si celui-ci est un animal sauvage, il sera toujours fidèle, m'expliqua bien mon père.

– Martin, tu as compris que tu ne dois jamais chasser un animal et lui enlever sa liberté ? me demanda à son tour maman.

– Oui, maman. Quand je grandirai, je voudrais défendre les droits des animaux ! dis-je, fier de moi.

Le cirque continua ses tournées dans le monde. Maintenant, on n'utilise plus jamais un animal pour une période de plus d'un an dans les cirques. Nous les respectons et sommes plus gentils avec eux. Moi, sincèrement, je trouve que ce cirque est le meilleur, car j'ai vécu dedans une aventure. N'oublions pas que ceci était un cadeau pour mon onzième anniversaire.

8
Le voyage vers le bout du monde

Nous sommes en l'an 5698.

J'ignore si ces paroles sont vraies ou imaginaires : ai-je vraiment atterri dans le pays des Rochers Blancs ? Ne suis-je pas en train de rêver ? Je ne le pense pas. Je me suis pincé pour découvrir si c'était la réalité ou pas. Hélas, je ne rêvais pas : j'étais bien au pays des Rochers Blancs. Cela s'est passé de la façon suivante…

J'étais pilote d'avion et j'avais mon avion personnel. Je voyageais partout dans le monde afin de faire des reportages pour une chaîne de télévision.

Le soir du treize décembre, j'étais en Bretagne, à Rennes, j'allais partir pour Hawaï faire un reportage sur le Parc national des volcans.

Ce soir-là, j'avais pris mon avion et m'étais envolé vers Hawaï. Après mon approche d'Hawaï, l'avion disparut complètement des écrans radars. Je fus obligé d'atterrir en faisant un atterrissage d'urgence sur le sol. L'atterrissage fut brutal, car il n'y avait pas de piste. Je pus difficilement ouvrir la portière, en la poussant. Je sortis, ne sachant pas où j'étais.

Le paysage était magnifique! Il y avait des palmiers partout et de nombreux végétaux. Ce qui m'a étonné, c'était la présence de plusieurs rochers blancs qui étaient dispersés pêle-mêle. Ils brillaient comme s'ils étaient des pierres précieuses. J'eus très peur, car l'endroit semblait être désert. Aucun bruit. Rien ne bougeait, mis à part une légère brise qui chatouillait mon nez. Fatigué, je tombai au sol, évanoui, et m'endormis toute la nuit.

Le lendemain, je me réveillai et me trouvai devant des gens qui étaient bizarres. Leur peau était de couleur verte. Ils étaient très bien habillés et portaient des bijoux. J'étais dans un endroit ayant une vue panoramique. Il y avait une grande chaîne de montagnes et de très beaux bâtiments. C'étaient à mon avis les maisons où demeuraient les habitants de cette ville. Elles étaient très bien construites. Je fus surpris aussi par la splendeur des statues qui étaient construites. C'étaient de très belles sculptures. Tout cela était étonnant et épatant!

Un des habitants portait un chapeau avec des diamants. Je pus conclure que c'était une couronne et qu'il s'agissait du chef. Il se rapprocha de moi et me regarda d'une façon étrange. Puis, il se mit à parler longtemps avec les habitants de la ville, en anglais. Je compris ce qu'il disait : il disait que j'étais un individu venant d'un autre monde et qui voulait conquérir leur territoire. À ce moment, je l'interrompis et lui expliquai que j'avais atterri ici sans le savoir. Le chef fut étonné par mes paroles sincères. Il me crut et fut compréhensif. Je lui demandai s'il savait parler français. Il me répondit que oui, qu'il ne maîtrisait pas très bien cette langue mais qu'il pouvait la comprendre. Le chef me demanda ensuite pourquoi j'avais atterri ici. Je lui racontai l'histoire de la disparition de mon avion des écrans radars et de l'atterrissage d'urgence que j'avais dû effectuer. Tout cela l'étonna et il fut surpris par mes paroles. Certains des habitants ne me crurent même pas. Je dis au chef :

– Cher monsieur, je voudrais seulement vous demander où je suis. Quel est ce merveilleux pays ? Pourquoi suis-je ici ?

– Dites donc, mon ami, on dirait que vous ne connaissez pas encore notre ville. Vous êtes ici au pays des Rochers Blancs. Les habitants du pays l'appellent le PRB. Vous avez atterri à Rochandelle, la capitale du pays. Nous sommes des habitants d'origine extraterrestre. Nos pouvoirs sont très puissants. Sachez, monsieur, qu'ici vous êtes au bout du monde. Vous êtes passé avec votre avion sur une île secrète proche de Los Angeles. Nous vous avons retrouvé évanoui au bord de l'océan. Nous vous avons recueilli et amené à Rochandelle. Nous supposons que votre avion a été attiré par le système magnétique du pays des Rochers Blancs. La terre de notre pays est constituée d'un système magnétique attirant tout appareil circulant à proximité de notre ville, m'expliqua le chef.

– Monsieur, pouvez-vous m'en dire plus sur votre pays ? lui demandai-je.

– Étranger, sachez que si vous voulez rester dans notre pays, vous devez être un citoyen PRB. Et, pour être citoyen PRB, il faut que vous réussissiez plusieurs épreuves difficiles, me répondit-il.

– Monsieur, je voudrais bien les passer, lui dis-je avec fierté.

Le chef du pays, M. Rainbleu, m'amena dans une grande arène et s'assit à côté de moi.

– Cher monsieur, je vous présente les trois épreuves que vous allez passer. Pour être citoyen PRB, il faudra battre les records des citoyens de mon pays dans ces trois épreuves, qui sont : l'athlétisme (10 km), l'équitation (3 km) et les quiz géographiques. Nous allons commencer par l'athlétisme.

Je me mis en place sur la ligne de départ et attendis le signal du début de l'épreuve. Le jury tira avec son pistolet, annonçant le départ. Je me mis à courir plus vite que le vent qui souffle en tempête. L'épreuve était difficile et fatigante. Je pus difficilement franchir la ligne d'arrivée en réalisant un record fantastique, de vingt-six minutes. Le chef me félicita et me dit que j'avais battu le record du PRB (qui était de vingt-sept minutes).

Le chef, étonné, me fit passer l'épreuve suivante : trois kilomètres d'équitation. On mit à ma disposition un cheval sauvage et l'on me prépara pour le départ. Je partis et le cheval commença à dévier à droite et à gauche. Je faillis tomber, mais pus m'accrocher à la selle tout en maîtrisant les sangles. J'eus d'atroces douleurs dorsales à cause de la vitesse du cheval. Je fermai les yeux, m'attendant à tomber. Tout à coup, j'ouvris les yeux et vis que j'avais franchi la ligne d'arrivée. Je descendis du cheval et allai voir le chef, qui fut surpris. « J'ai battu le record », criai-je à haute voix.

Il me restait la dernière et plus facile épreuve : les quiz géographiques, que je connais bien puisque je suis pilote et journaliste. Monsieur Rainbleu me présenta l'épreuve. Elle consistait à répondre à trente questions en huit minutes et trente secondes. Il fallait que je les réussisse toutes pour être citoyen PRB.

On entra dans une salle climatisée où je m'assis sur une chaise. L'épreuve arriva dans une enveloppe cachetée présentée par un membre du jury. On me demanda d'écrire mon nom (Martin Dubois). L'épreuve commença. Je débutai alors par la question une. Je terminai à six minutes. Tout était juste. Monsieur Rainbleu me félicita de nouveau et ordonna de me donner ma carte d'identité et mon passeport PRB. Je sautai de joie en apprenant cette heureuse nouvelle.

Dès lors, je devins citoyen PRB. On m'offrit une belle maison au cœur du centre-ville de Rochandelle. Je devins ami de mes voisins (le Dr Milanais et le Dr Daskûnheit). J'eus de forts liens avec monsieur Rainbleu.

Je sortis un jour en expédition sur la plage de Rochandelle pour faire un reportage. Je me demandai à nouveau la raison de l'existence des rochers blancs. J'allai les inspecter de près. Heureusement que j'avais ma loupe et mon livre des pierres mystérieuses. Je tirai une des roches blanches et mesurai son poids, sa taille, et inspectai sa couleur. Je notai les caractéristiques de la pierre et cherchai dans mon encyclopédie. Je fus étonné lorsque je vis que c'étaient des diamants. LE PRB EST LE PAYS DES DIAMANTS ! Je courus vite chez le chef du PRB et lui dis :

– Monsieur Rainbleu, saviez-vous que les rochers blancs de votre pays sont des diamants ?

– Martin, que veut dire le mot « diamant » ? m'interrogea-t-il.

– Le diamant est une pierre précieuse qui coûte très cher, lui répondis-je.

– Martin, je n'ai jamais aimé l'argent. Sa valeur ne représente rien pour moi. Pour moi, l'argent porte malheur. C'est l'argent qui sème les guerres et les problèmes dans le monde. Pour moi, l'argent est synonyme de guerre. Les sous ne valent rien par rapport à la culture et à la bonté. Si tu veux me faire plaisir, bouquine des livres, apprends des langues, sois un grand mathématicien et aime la littérature, m'expliqua Rainbleu.

Je fus étonné par les paroles de Rainbleu. C'est cette idée et le mépris de l'argent qui ont rendu les habitants du PRB plus évolués que nous, les humains. Tout ce que me disait Rainbleu me parut logique. Si l'argent n'existait pas, nous aurions été tous en paix. Ç'aurait été la vraie vie en rose et non en noir. J'en conclus que « l'argent est le plus grand criminel du monde ». Sans l'argent, les bandits n'auraient pas existé.

Tout à coup, un homme vint devant moi et me dit : « Maintenant que tu connais le secret de notre pays, tu n'es plus citoyen de ce pays et tu n'as plus rien à faire ici ». Puis, il me donna un liquide bleu qu'il fit entrer dans ma bouche. J'ai crié « Ah ! » et me suis retrouvé chez moi, devant la fenêtre de ma maison.

Je pensai alors que c'était un rêve, mais j'ai retrouvé sur moi ma carte d'identité de citoyen PRB et mon passeport. Quel mystère !

En tout cas, j'ai appris à ne plus songer à l'argent. Je suis allé remettre ma conclusion concernant l'argent à tout le monde de la presse. Les gens commencèrent à bien réfléchir sur ce sujet. Les présidents et ministres l'abordèrent aussi. On commença alors à vivre de façon meilleure et plus intelligente. Le problème n'est toutefois pas encore tout à fait résolu comme au pays PRB. Moi, je continuerai mes reportages, mais personne ne me garantira jamais si j'avais rêvé ou si c'était bien la réalité. Quel mystère…

9

Les petits filous et les loups sauvages

En l'an 5269, existait la tribu des loups. Elle était très évoluée, comme nous, les humains. Elle était située dans le département de la Franche-Comté, en France. Elle était dirigée par un chef. Ce dernier était un loup qui s'appelait Loupinos, fils de Loupin. Il avait été élu par les loups en 5267. Chez les loups, le loup élu pour être chef gouvernait durant quatre ans. Cette tribu avait aussi son drapeau : deux rayures de couleur noire, avec un cercle au centre. La tribu s'appelait « la tribu des loups sauvages ». Ils se prenaient pour les plus forts et terrorisaient les autres animaux de Franche-Comté.

Les loups étaient les ennemis de la tribu des petits filous. C'était la tribu des moutons. Elle était aussi évoluée que celle des loups sauvages, mais avait un grand problème : les loups venaient toujours les tuer et les dévorer crus. Ils étaient terrorisés par les loups sauvages. La tribu des filous avait aussi une cheftaine, qui s'appelait Moutonuse, fille de Moutinne. Elle était très intelligente et rusée, comme le subtil Ulysse. Elle essayait à tout prix de protéger ses moutons des loups. Elle réussissait parfois mais, parfois, échouait aussi.

Loupinos encourageait toujours son peuple à attaquer les moutons. C'était Loupinos qui votait les lois et qui les faisait exécuter. Il faisait des plans afin que, la nuit, les loups puissent attaquer les moutons pour se nourrir. Vu que les loups étaient carnivores, le mouton était une proie facile des loups.

Les loups arrivèrent en décembre 5267, à deux heures du matin. Alors que les bergers dormaient, ils commencèrent à dévorer les moutons. Moutonuse commença alors à bêler tristement afin de réveiller les bergers. Elle alla même les mordre pour qu'ils se réveillent. Heureusement, ils se levèrent et allèrent voir ce qu'il se passait. Ils chassèrent les loups et les éloignèrent. Hélas, les loups avaient déjà tué quatre ou cinq moutons.

Les pauvres animaux étaient terrorisés par les prédateurs. Moutonuse réfléchit longuement, voulant trouver une solution qui pourrait sauver sa patrie. Avant, elle calma les autres moutons et organisa une minute de silence, à midi. Tous les moutons se réunirent et formèrent un cercle. Au centre, il y avait Moutonuse, qui cria : « Nous dédions une minute de silence aux cinq moutons tués par les loups cette nuit ». La minute de silence s'organisa. Les moutons déposèrent des fleurs devant les cadavres des victimes. Puis, on chanta l'hymne national de la tribu des moutons en levant le drapeau de la tribu des petits filous (trois traits horizontaux et un mouton au centre) :

« Oh, tribu des petits filous… Je te dédie toutes mes forces pour que tu vives… Je combattrai pour toi… Je lèverai le drapeau pour toi… Rien que pour toi… Ré Do Si… »

Maintenant, retournons à l'année 5269. Les loups préparaient une attaque surprise. Leur chef, Loupinos, voulait toujours attaquer les petits filous. Il réfléchissait à trouver une solution pour pouvoir surprendre les moutons. Son but était de démolir la tribu des petits filous et de les massacrer. Chez les loups sauvages, la loi était dictature. Tout le monde devait obéir à Loupinos. Si quelqu'un ne l'écoutait pas, il était tué. Cependant, la loi était très respectée. Exemple : tout loup chassant un mouton sans une autorisation de Loupinos était condamné à être exécuté et mangé par les autres loups. La monnaie, chez les loups sauvages, était la livre loupixe. C'est Loupinos qui l'avait créée, en 5267. De plus, Loupinos habitait dans un palais, entouré de ses ministres. Fâché, Loupinos voulait à tout prix conquérir le territoire des petits filous. Cependant, à cause de Moutonuse, ses plans et tentatives échouaient bien souvent. Selon lui, il fallait supprimer Moutonuse.

Loupinos réunit alors tous ses ministres et collègues.

– Mesdames et messieurs, je tiens à vous informer que depuis des millénaires, nous sommes en train de souffrir des petits filous. Toutes nos tentatives ont échoué, bien souvent à cause de leur cheftaine, Moutonuse, dit Loupinos d'un air nerveux.

– Monsieur Loupinos, les petits filous sont malheureusement plus intelligents que nous, les loups sauvages, affirma le Premier ministre des loups sauvages.

– À mon avis, les bergers qui protègent leurs moutons sont aussi responsables de la victoire des petits filous. Il faut que nous prenions notre revanche et que nous attaquions aussi les bergers, dit avec fierté le collègue de Loupinos.

– Vous avez raison. Si les bergers sont éliminés, capturer les moutons sera une mission plus facile. Merci pour cette excellente idée, confirma Loupinos.

– Cependant, je tiens aussi à vous informer que la cheftaine des petits filous (Moutonuse) est très rusée. Il faut se méfier d'elle, informa le collègue de Loupinos.

– Oui, les moutons, sans Moutonuse, ne peuvent rien contre nous. C'est la fin de la réunion, nous allons attaquer les bergers cette nuit à vingt-trois heures dix. Réglez vos montres : il est midi douze. Et Loupinos mit fin à la réunion.

La nuit, la bande des loups se réunit. Les loups étaient masqués, Loupinos les conduisit au camp des bergers. Les loups hurlèrent, annonçant leur arrivée. Les corbeaux croassèrent pour fuir et avertir les bergers du danger. Les loups sautèrent sur les bergers. Heureusement, ils étaient réveillés et purent s'échapper. Les loups les chassèrent très loin pour éviter leur retour. Loupinos fut content que son idée ait marché. Il retourna avec sa meute dans son camp.

Le lendemain, Loupinos mit au point un nouveau plan. Il voulut attaquer les moutons pour essayer de supprimer la tribu des petits filous. Il mit en place un nouveau plan : partir à treize heures vingt au camp des petits filous pour les menacer une dernière fois avant de les attaquer et de les tuer. La meute des loups sauvages partit au camp des moutons. Loupinos s'avança vers Moutonuse et lui cria, en se moquant : « Chère cheftaine, je suis ici pour te menacer pour la dernière fois. Quittez vos camps et fuyez, sinon vous serez une de nos proies. Si demain à huit heures, vous êtes encore là, nous viendrons et vous serez notre déjeuner ». Puis, il retourna avec sa meute dans son camp.

Les petits filous furent terrorisés par les menaces de Loupinos. Ils ne cessèrent point de pleurer à gros sanglots. Cependant, Moutonuse ne se tut point. Elle réfléchit bien longtemps, voulant trouver un piège. La nuit, elle ne dormit point, car elle voulait à tout prix sauver sa tribu d'une mort atroce. Puis, finalement, elle s'endormit paisiblement, après avoir trouvé une solution. Elle se réveilla ensuite le lendemain et prépara ses moutons pour le combat en leur donnant des armes très lourdes pour se défendre.

Loupinos arriva à huit heures avec sa meute. Ils s'étonnèrent en voyant la présence de Moutonuse et de sa troupe. Fâché, Loupinos s'avança vers Moutonuse et cria :

– Pourquoi n'êtes-vous pas partis ? Vous voulez que nous vous tuions tous ? répondez vite… bégaya le loup.

– Bonjour, Loupinos. Je n'ai pas à partir et à quitter mon pays. On n'abandonne pas sa patrie, quelle que soit la raison, répondit calmement Moutonuse.

– Vous voulez alors le combat ! s'étonna le loup.

– Pourquoi voulez-vous nous combattre ? Loupinos, tu n'as pas autre chose à faire que d'attaquer de jeunes moutons ? demanda Moutonuse.

– Tais-toi, Moutonuse. Tu sais bien qu'il faut que nous nous nourrissions, cria le loup.

– Loupinos, calme-toi. Je vais te donner une solution : sois végétarien et abandonne la viande. C'est nul d'être carnivore. Les animaux les plus intelligents sont les herbivores et les végétariens… dit Moutonuse.

– Arrête de dire des bêtises. Nous ne vous attaquerons pas aujourd'hui, mais sache que si dans une semaine vous êtes toujours là, nous vous mangerons, menaça Loupinos.

Loupinos et sa meute furent néanmoins fortement

touchés par les paroles de Moutonuse, mais son idée n'avait pas tout à fait réussi. Moutonuse réfléchit de nouveau pour trouver une nouvelle solution. Elle réunit tous les petits filous pour discuter à propos des loups sauvages.

– Mesdames et messieurs, je voudrais vous informer que les loups reviendront la semaine prochaine pour nous manger. Il faudrait que nous unissions nos forces pour réussir, dit Moutonuse.

– D'après vous, quelle est la solution ? demanda un mouton.

– Si les loups deviennent végétariens, nous serons sauvés. Mais je ne sais point comment les rendre végétariens, se demanda Moutonuse.

– Moi, je pourrai vous aider. J'ai fait des études de magie et j'ai appris des choses pareilles, dit un petit filou qui s'appelait Mirain.

– Bien. Peux-tu métamorphoser un carnivore en végétarien ? s'étonna Moutonuse.

– Je vais essayer, mais je ne vous promets rien, répondit Mirain.

– Si, dans un délai de trois jours, tu ne réussis pas, tu nous le feras savoir, pour trouver une autre solution. Ainsi s'achève notre réunion, confirma Moutonuse.

Moutonuse n'était pas très sûre que Mirain puisse réussir à métamorphoser un être vivant carnivore en végétarien. Cela lui paraissait être mission impossible. Selon elle, la magie n'existait pas. Elle préféra se fier à la ruse et à l'intelligence. Elle réfléchit tout le temps seule pour trouver une idée qui pourrait sauver sa patrie. Elle n'en trouva pas. Essayant toutes les ruses, elle n'en trouva aucune qui pourrait la sauver. Ayant perdu tout espoir, elle eut peur de décevoir les autres petits filous (les moutons). Quant à Mirain, il essayait jour et nuit de trouver une formule magique pour réussir. Il feuilleta tous ses grimoires et encyclopédies. Hélas, aucune solution ne parut être utile.

Trois jours après la réunion des petits filous, Moutonuse organisa une nouvelle réunion.

– Ma chère patrie, je te salue et te souhaite une bonne réussite et une bonne victoire. Cher Mirain, as-tu réussi à trouver une formule magique utile pour lutter contre les loups sauvages ? Ne me déçois pas, demanda Moutonuse.

– J'ai le regret de vous informer que je n'ai pas réussi. Désolé de vous décevoir, s'excusa Mirain.

– Qu'as-tu fait, alors, pendant ces trois jours ? Explique-toi avant que nous ne te renvoyions de notre tribu, cria un mouton.

– Calmez-vous, mes moutons. Nous allons trouver une solution. Il ne faut jamais être violent. Il faudra obliger les loups à devenir végétariens, calma Moutonuse.

– Mais comment cela, noble maîtresse ? demanda un autre mouton.

– Tout simplement en poussant tous les animaux de la forêt à la quitter. Les loups, ne trouvant pas de viande, seront obligés de manger les végétaux. Rien n'est impossible dans la vie. Un loup, sans manger, ne peut vivre, il sera obligé de manger n'importe quoi pour survivre. Tout animal doit s'adapter aux conditions qui se présentent, informa Moutonuse.

– Comment allons-nous faire quitter la forêt aux animaux ? demanda Mirain.

– Puisque je suis cheftaine, j'ai toujours de bonnes relations avec les autres animaux de notre forêt. Je tiens à vous informer que les loups ne peuvent pas attaquer les animaux sauvages, qui sont plus forts qu'eux. Pour cela, nous n'allons pas les contacter. Je vous assure que les loups sont des peureux, affirma Moutonuse.

– Quand allez-vous appeler les autres, cheftaine ? questionna un mouton.

– Maintenant, cela ne durera que deux minutes. J'appellerai tout d'abord les vaches, puis les chèvres... dit Moutonuse.

– Maintenant que vous les avez appelés tous, qu'allons-nous faire ? interrogea de nouveau Mirain.

– Nous allons nous cacher à notre tour. Il y a un parc proche d'ici, en Alsace-Lorraine (sachant que nous sommes actuellement en Franche-Comté, en France). J'ai dit à tous les autres animaux de s'y rendre. Nous prendrons une route rapide passant par les montagnes. C'est pour cela que nous devons partir maintenant. Mesdames, Messieurs, j'annonce la fin de la réunion, dit Moutonuse.

Les petits filous, guidés par Moutonuse, ainsi que les autres animaux, partirent vers l'Alsace-Lorraine. Le trajet fut long et fatigant, mais les animaux purent arriver en Alsace-Lorraine.

Entre-temps, les loups repartirent dans la forêt. Ils ne trouvèrent strictement rien à manger. Loupinos ne mangea point durant deux jours. Il aurait bien voulu remplir son ventre de petits moutons. Il ne pouvait plus résister à la faim. Il devait s'adapter aux conditions présentes. Il chercha partout pour trouver une chose à manger. Il ne trouva que des fruits et des légumes. Il devint triste, mais il fut obligé de manger les végétaux. Sa meute le suivit. Ayant essayé les végétaux, il cria : « Ce n'est pas si mauvais, les végétaux ! ». Sa meute fit la même remarque.

Après une semaine, les moutons et les autres animaux revinrent en Franche-Comté. L'idée de Moutonuse avait réussi. Les loups étaient devenus végétariens. Ils aimaient les végétaux et les mangeaient.

C'est pour cela qu'il ne faut jamais rejeter une nourriture avant de l'avoir goûtée. Ça vous paraît peut-être bizarre que les loups soient devenus végétariens, mais c'était la réalité. Moutonuse fut énormément contente que les petits filous soient fiers d'elle. C'est depuis ce jour, le 25 décembre 5269, que les loups sont devenus végétariens.

10
Une sombre créature

Ce dimanche à 22 heures, à New York, un jeune homme apporta un verre en plastique et alla à Central Park pour cueillir des feuilles de menthe. Il les adorait et les utilisait pour parfumer la nourriture, pour décorer les plats qu'il préparait et pour plein d'autres choses. Il mit trois ou quatre feuilles dans le récipient et, soudain, un lourd sommeil le prit. Alors, il laissa le verre sur une branche d'un arbre et s'assit sur un banc en bois. C'est ainsi qu'il dormit trois heures. Il se réveilla au moment où on allait fermer les portes du parc. Se précipitant rapidement vers la sortie, il oublia le verre où il avait placé les feuilles de menthe.

Cette nuit-là, une grande tempête fut annoncée. La tempête débuta avec de très grandes averses de pluie. Puis, un vent très violent arriva, qui fit tomber plusieurs arbres. Certaines constructions furent démolies. Ensuite arrivèrent plusieurs éclairs. New York connut cette nuit-là une des plus grandes tempêtes jamais arrivées.

Le lendemain matin, les habitants de la ville sortirent. Ils trouvèrent la ville ravagée : des arbres déracinés, des déchets éparpillés au sol, des constructions démolies… Entre-temps, le jeune homme se rappela qu'il avait oublié le verre de menthe dans le parc. C'était un verre en plastique très beau, qu'il avait gardé depuis très longtemps. « Pourquoi le perdre ? », se dit-il. Il retourna en courant au parc, à l'heure de l'ouverture. Puis, il se rendit à l'endroit où il avait posé le verre. Et là, il fut très étonné, et effrayé ! Le verre était à la même place, mais… c'était incroyable et inimaginable ! Le verre contenait un liquide vert qui tournait très rapidement et qui dégageait des bruits et des sons bizarres tels que : « Croc ! Boum ! ». Le jeune homme recula devant cette chose bizarre et se demanda ce que cela pouvait être. Soudainement, un œuf vert et blanc sortit du verre. Et tout de suite, il éclôt ! Sortit ainsi une créature étrange et extraordinaire : une mouche verte ! C'était une créature bizarre : elle avait des ailes bleues et des yeux rouges comme le sang. Le jeune homme n'en croyait pas ses yeux.

L'insecte fit quelques tours en cercle pendant quelques secondes. Puis, il commença à se secouer d'une façon étrange. Et soudain, il fit sortir une aiguille de sa tête. Il sauta sur le jeune homme et lui piqua les cheveux. Le jeune homme eut très mal. Deux minutes après, il perdit connaissance et tomba par terre. Le jeune homme ne se réveilla point et resta ainsi. Des personnes vinrent et l'entourèrent. Elles s'aperçurent qu'il était mort. Ce jeune homme de vingt-huit ans était mort à cause de la piqûre de cette bestiole. Suite à la catastrophe, les gens fuirent l'insecte. La mouche verte suivit les gens et alla s'attaquer à plusieurs humains. Elle les piqua les uns après les autres et personne ne put arrêter le massacre. Après avoir intoxiqué tout le monde, la mouche verte se posa par terre. Elle pondit trois œufs, desquels sortirent trois mouches vertes. Maintenant qu'elles étaient quatre, elles commencèrent à se joindre l'une à l'autre pour former une union contre les humains. Elles sortirent ensemble du parc et se dirigèrent vers la célèbre Cinquième Avenue. Là aussi, plusieurs personnes trouvèrent la mort.

Entre-temps, les journalistes allèrent inspecter Central Park. Le bilan fut de mille cent vingt victimes. Toutes les chaînes de télévision du monde parlèrent du massacre causé par les mouches vertes. Des équipes de médecins allèrent étudier l'origine de l'insecte. Ils trouvèrent par terre, près des victimes, des gouttes d'un liquide vert. Ils prirent aussi les gouttes de sang des victimes, pour les analyser en laboratoire.

En attendant les résultats des analyses, le nombre de mouches augmenta énormément. Elles envahirent les avenues de la ville américaine tout en piquant les habitants. Chaque piqûre d'une mouche verte entraînait la mort d'un être humain. La ville fut envahie de tristesse. Les habitants rentrèrent chez eux et fermèrent toutes les portes et fenêtres pour éviter toute intrusion. Certains habitants allèrent se réfugier dans les villes voisines. Les écoles fermèrent et les élèves n'eurent plus cours. C'était une vraie situation d'urgence. Pendant ce temps, les médecins étaient en train d'analyser les mouches vertes dans leur laboratoire tenu secret et localisé dans un sous-sol.

Parmi les médecins, Oisillon était le plus intelligent et le plus efficace d'entre eux. Il prit une goutte verte déposée par la mouche et une goutte de sang humain : il fit un mélange. C'est alors qu'il trouva que les gouttes vertes étaient toxiques. Elles renfermaient un fort poison. C'était le même poison que l'on trouvait dans un champignon toxique, l'amanite phalloïde. La piqûre de cet insecte contenait un poison très dangereux qui provenait de la nature. La mouche verte était donc originaire de l'effet d'un mélange de menthe, d'eau, de chimilosite (produit chimique provenant de l'industrie) et de certains déchets déversés par l'Homme. Le médecin comprit tout, et il dit aux autres médecins : « La mouche verte s'est créée à partir des déchets jetés par l'Homme dans la nature. Celle-ci ne disparaîtra que si toute la ville devient propre. Ainsi, l'effet de la mouche verte disparaîtra. C'est pour cela que je vais appeler cet insecte *Volans quisquiliae*. Ce qui veut dire en français : la poubelle volante. Allez avertir le monde entier de cette nouvelle. Moi, je m'occuperai de trouver un remède pour endormir toutes les mouches ».

Entre-temps, le nombre des mouches atteint les dix mille. Il était impossible de sortir dans la rue. Les médecins allèrent prévenir les journalistes, qui diffusèrent l'information sur les mouches. Cependant, il restait une question : comment sortir pour nettoyer les déchets ? En présence des milliers de mouches vertes, cela paraissait être mission impossible. Les médecins attendirent alors que leur collègue Oisillon finisse les opérations et les expériences sur les mouches vertes.

La vie des habitants ne dépendait plus que de lui. Tout le monde attendait avec impatience les résultats des analyses. En ce temps-là, un silence régnait dans la ville. Rien ne bougeait et on n'entendait pas le moindre mouvement. Des milliers de personnes mourraient si Oisillon ne trouvait pas le médicament. Le médecin était très inquiet pour l'avenir de son pays. Devait-il tout abandonner ? Il ne le savait pas. Parfois, il hésitait à déménager et à abandonner le travail. Cependant, il ne voulait pas trahir son peuple. Finalement, il décida de continuer.

Des journées passèrent… Les habitants s'ennuyaient, à rester chez eux. La nourriture commençait à se faire rare. Une famine enveloppa la ville américaine. À ce moment-là,

Oisillon était toujours dans son laboratoire. Deux heures après, Oisillon cria : « J'ai terminé ». Il était très content et sautait de joie. Il avait trouvé un gaz à effet chimique qui endormait les insectes pour une durée de huit heures. Le seul moyen pour faire disparaître les mouches était de lancer le gaz chimique par des hélicoptères de l'État. Oisillon expliqua que le gaz s'appelait le « hizichime ». C'était un mélange d'hydrogène, de CO_2 et de plusieurs produits chimiques. Ce gaz pouvait entraîner des maladies chez les humains. Pour éviter cela, il avait recommandé que chaque habitant prenne des comprimés d'un médicament qu'il avait présenté.

L'opération fut exécutée. Le produit chimique fut transmis à l'État. Le maire de New York accepta la proposition et informa le shérif, qui informa tout de suite le président de la République américaine. Le président de la République accepta la proposition du médecin Oisillon. Des hélicoptères sortirent de la capitale et survolèrent New York. Entre-temps, les habitants prirent les comprimés indiqués par le médecin pour se protéger contre le « hizichime ». Les hélicoptères survolèrent la ville, puis ils commencèrent à éparpiller le gaz chimique sous forme de pesticide. Plusieurs mouches vertes tombèrent. Mais d'autres restèrent en vie. Les hélicoptères revinrent. Cette fois-ci, ils augmentèrent la quantité de pesticides pulvérisée. Un plus grand nombre de mouches s'endormit. Mais quelques-unes d'entre elles restèrent éveillées. Oisillon fut informé de la situation par l'État. Il expliqua cela en disant que les premières mouches vertes nées avaient une plus grande capacité à résister au poison. Pour les tuer, il fallait ajouter plus d'hydrogène aux pesticides. Pour cela, il fallait à nouveau tester le pesticide. Oisillon retourna à son laboratoire et se remit au travail. Il essaya de faire un équilibre dans les produits utilisés. La première et la deuxième fois, il échoua et ne parvint pas à atteindre son objectif. La troisième fois, il finit par réussir. Le nouveau poison fut renvoyé à l'État. Après qu'il ait été analysé, les hélicoptères sortirent de nouveau et éparpillèrent le pesticide. Cette fois-ci, toutes les mouches s'endormirent pour une durée de huit heures et dix-neuf minutes. Les citoyens de la ville en profitèrent pour nettoyer. Ils sortirent tous. La municipalité arriva. Elle nettoya toute la ville, avec toutes ses rues. Quant aux corps des mouches, ils furent brûlés, pour éviter qu'elles ne se réveillent. Ce liquide vert n'était pas connu sur Terre, à ce jour ! Le président de la République remercia énormément Oisillon d'avoir trouvé ce poison. Oisillon dit à tout le monde de faire très attention à la pollution. Avec la pollution, la nature peut créer des choses inconnues, dit-il.

Deux jours après, au parc, on trouva un œuf ! C'était l'œuf d'une mouche verte. Tout le monde eut peur et s'éloigna. Oisillon se rendit sur place pour inspecter l'œuf. Il arriva le lendemain. Il prit l'œuf dans ses mains et se dirigea vers son laboratoire pour l'analyser et l'examiner. Était-ce une autre invasion des mouches vertes ? Quand Oisillon finit ses analyses, il partit parler sur les chaînes télévisées : « Il s'agit bien d'un œuf d'une mouche verte. Celui-ci serait l'œuf d'une des plus géantes mouches vertes. Il ne faut surtout pas s'en approcher. Cet œuf, nous allons le neutraliser et le mettre dans le musée de la Nature à New York. Ainsi, nous pourrons le garder dans un lieu sûr et il restera dans l'Histoire de notre pays ». C'est depuis ce jour que des personnes viennent visiter le musée de la Nature pour voir les traces de ces étranges créatures nées par la bêtise de l'Homme.

11
Et si la nuit n'existait plus...

Ce jour-là, je partis chercher un livre à lire à la bibliothèque de Pélussin. Aussitôt arrivé, je demandai à la responsable de la bibliothèque de me conseiller un livre pour enfants. Elle revint quelques minutes après avec un livre qui s'appelait *Et si la nuit n'existait plus...* Le titre du livre m'impressionna beaucoup.

Je dis à la bibliothécaire :

– Merci, Madame. Quel livre extraordinaire ! Le titre attire l'attention !

– J'étais sûre qu'il te plairait. Je te le prête jusqu'à la semaine prochaine, répliqua-t-elle.

– Bien sûr, Madame, en vous remerciant beaucoup, lui répondis-je.

Je rentrai chez moi heureux et gai. Je montrai le bouquin à mes parents. Mon père me conseillait énormément la lecture. Il disait que c'était la clé de la culture et du savoir. C'est pour cela que je me rendais toutes les semaines à la bibliothèque de Pélussin. Je voulus commencer par feuilleter les premières pages. C'est ainsi que débutait l'histoire :

Il était une fois, un village qui s'appelait Bayax et qui

était situé en France. Dans ce village, il y avait beaucoup d'ouvriers et d'employés qui travaillaient et qui réalisaient de très grands projets, mais personne ne reconnaissait leurs projets. Ce village était oublié par tout le monde. Personne n'en parlait ni ne le connaissait.

Un jour, le roi voulut visiter toutes les régions de son pays. Il dit à son Premier ministre :

– Cher Premier ministre, cela fait très longtemps que je ne suis pas allé visiter toutes les régions de France, ce cher pays.

– D'accord, votre Majesté. Quand voulez-vous que nous y allions ? demanda Fabius.

– Je veux partir dès demain, à 11 heures, du château de Versailles. J'irai visiter toutes les régions de France. Êtes-vous d'accord, Fabius ? demanda le roi.

– Bien sûr, votre Majesté. Je vais préparer la garde royale. Nous partirons donc demain, dit Fabius.

Heureux, le roi se prépara pour ce long voyage. Selon les calculs de Fabius, le voyage aurait une durée d'un mois. Le voyage fut annoncé dans tout le royaume. Tout le monde était étonné. Les citoyens se demandaient : comment le roi réussira-t-il à visiter toutes les villes de France ? Ceci leur paraissait impossible. À noter que le roi était âgé de soixante-dix ans : résisterait-il à ce long voyage ?

Le jour du départ, à onze heures, toutes les cloches des églises sonnèrent, annonçant le départ. Le départ fut également annoncé dans toutes les villes de France, où les gens sortirent pour se préparer à accueillir le roi. À Versailles, une troupe de musiciens arriva et chanta pour le départ du roi. C'était un grand triomphe ! Tout le monde était au courant de ce départ. Un carrosse en or pur et en diamants était préparé pour Sa Majesté. Il en fut de même pour les gardes du roi et les forces de l'ordre qui le suivaient. Les lieux étaient très sécurisés. À Bayax, les citoyens étaient impatients de recevoir le roi. Ce dernier pourrait enfin connaître la valeur de ce petit village. Les rues étaient propres, pour symboliser la propreté du roi. Ce jour-là, toute la France était éveillée et fêtait le voyage d'Auguste. Avant son départ, le roi cria, s'adressant à tous :

« Cher pays, chers citoyens et chères citoyennes, je vous salue et vous promets aujourd'hui de visiter toutes les villes et régions françaises. » Puis, il dit à ses gardes du corps :

– Cavaliers, gardes, déclenchez le départ. Allez, vite, dépêchez-vous pour que nous puissions terminer ce voyage. Fabius, montez à côté de moi, dit le roi.

– Merci, votre Majesté. Je suis sûr que ce voyage sera un très grand succès, dit Fabius.

– Quelle est la première ville que nous allons visiter ? demanda le roi.

– Tout d'abord, nous allons visiter toutes les villes d'Île-de-France, répondit Fabius.

Presque toutes les villes de France furent visitées par le roi. Plusieurs problèmes furent réglés, tels que la pauvreté et la misère. Le roi Auguste régla ces problèmes avec un très grand cœur. Il donna à toutes les personnes pauvres une grande somme d'argent, ainsi que de la nourriture. C'était un roi noble et très gentil. Puis, le carrosse du roi arriva dans le département de la Franche-Comté. Le premier village qu'il visita fut le village de Bayax. Le roi et Fabius furent stupéfaits et étonnés par la splendeur et la beauté de ce merveilleux village. Les villageois l'accueillirent avec une très grande sérénité et gentillesse :

– Bonjour, votre Majesté. Merci pour l'honneur que

vous nous faites de visiter notre joli et beau village. Nous avons certaines choses intéressantes à vous montrer, qui vont sûrement vous plaire, dit le maire du village, Alexius.

– Je vous remercie pour ce chaleureux accueil. Montrez-moi ce que vous voulez. Je suis à votre écoute, répondit Auguste.

– Notre village est producteur de plusieurs objets. Nous réalisons de fabuleux objets, comme ce merveilleux miroir qui, avec une force magique, peut prévoir l'avenir. Il a été inventé par un de nos savants. Ce dernier s'appelle Martin Oisillon et il a des pouvoirs magiques. Regardez, Sire, cette bouteille d'eau, qui ne se vide jamais. Elle se remplit d'eau à partir des nuages dans le ciel. La technologie nous a permis de recueillir l'eau du ciel et de la verser dans la bouteille. Nous avons aussi créé des sculptures passionnantes, raconta Alexius.

– Tout ceci est incroyable ! Pourquoi n'ai-je jamais entendu parler de ce village ? demanda Auguste.

– Majesté, personne ne nous connaît. Personne ne connaît notre valeur. Jamais vous n'êtes venu voir notre village, se plaignit Alexius.

– Vous devriez être très connus dans le monde entier. Je vais continuer ma tournée en France, puis je vais inviter Monsieur Alexius au château de Versailles pour discuter avec lui de ce sujet, répliqua le roi.

– Je vous remercie énormément, votre Majesté, dit Alexius.

En effet, le roi de France continua sa tournée dans le pays. Il fit beaucoup de bonnes choses et résolut encore un grand nombre de problèmes. À la fin de cette tournée, il retourna à Paris. Dès son arrivée, il écrivit une lettre d'invitation à Alexius :

« Monsieur Alexius, Maire de Bayax,

Suite à notre rencontre, j'ai le plaisir de vous inviter au château de Versailles après-demain. Je vous enverrai ma garde royale pour vous accompagner.

En attendant votre arrivée, recevez mes cordiales salutations.

Le roi de France »

La lettre fut aussitôt envoyée. La garde royale partit pour Bayax, accompagnant Alexius. Le maire de Bayax, très heureux à la réception de la lettre, partit directement à Versailles. Tout le village lui souhaita un excellent voyage et une excellente rencontre avec le roi de France, Auguste. Le voyage dura deux jours. C'était un voyage dans le carrosse royal. Alexius passa tout d'abord par la capitale française, Paris. Il fut émerveillé. Il n'avait jamais visité cette belle ville. Dans les rues et avenues parisiennes, il sentait le charme de Paris. Ce n'était pas une ville comme les autres. Paris est vivante et active. Paris est une ville qui ne dort jamais. C'est une ville qui restera toujours debout. Elle ne mourra jamais. Les cathédrales de Paris, grandes et belles, embellissent la ville. Notre-Dame, Le Louvre, la Tour Eiffel, sont des monuments qui marquent l'importance de Paris.

Le carrosse continua sa route vers Versailles. Auparavant, Alexius passa par la célèbre avenue des Champs-Élysées. Cette avenue est considérée comme une des plus belles de Paris. Le maire de Bayax vit aussi l'Arc de triomphe, ce joli monument. La place de la Concorde lui plut énormément. Alexius n'en croyait pas ses yeux. Lui, venant d'un tout petit village, fut émerveillé par Paris, la perle du monde.

Alexius arriva à Versailles. Il fut vite reçu par le roi.

Le château de Versailles était somptueux, immense et imposant. Il y avait beaucoup de tableaux, des peintures et photos royales, des escaliers en marbre, plusieurs chambres royales où pouvait dormir le roi. En face du château, il y avait un très grand jardin. Son contour était fait de cactus. Il y avait aussi beaucoup de buissons, d'arbres et de fleurs. Une salle de réunion était située dans le jardin. Il y avait des chaises et des tables disposées avec un très grand soin. C'était un grand honneur, pour Alexius, de visiter le château du roi.

Le roi de France s'avança vers Alexius et lui dit, en souriant et en riant :

– Cher Monsieur, vous voilà arrivé à Versailles. Est-ce que la capitale, Paris, vous a plu ? A-t-elle attiré votre attention ? demanda le roi.

– Bonjour, votre Majesté le roi. Je n'ai jamais vu une ville aussi belle que Paris. C'est réellement une ville extraordinaire. Elle est magnifique, belle, jolie et douce. Dès qu'on arrive, elle attire l'attention, répondit Alexius.

– Je vous remercie, Alexius. C'est gentil. Qu'avez-vous à me dire sur votre petit village ? demanda de nouveau le roi.

– Nous sommes toujours en train de créer des inventions. Nous créons des choses mystérieuses. Et vous, comment allez-vous ? répondit Alexius en souriant, avec une très grande joie.

– Très bien, je vous remercie. Je voulais vous proposer un contrat : vous apportez tous vos objets et toutes vos inventions à Paris, ils seront vendus au peuple. Ainsi, vous deviendrez riches, heureux et la gaieté sera peinte sur vos visages, proposa le roi.

– Quelle belle idée, votre Majesté ! Elle me plaît

énormément. Quand pouvons-nous la commencer ? demanda Alexius.

– Vraiment, elle vous a plu ? Je doutais que vous l'acceptiez, dit le roi.

– Mais bien sûr que je l'accepte, votre Majesté. Je rêvais depuis des années que mon village devienne célèbre et connu, répondit Alexius.

– Merci, monsieur. Maintenant, retournez à votre village et parlez-en. Puis, rapportez-moi les objets que vous avez fabriqués. Dès lors, je les proposerai au peuple et mon projet pourra démarrer, dit le roi.

– Je vous remercie. Passez une excellente soirée, votre Majesté, dit Alexius.

– Écoutez-moi : prenez le carrosse royal et revenez me voir dans quatre jours. Je vous attends. Bonne soirée, Alexius, répondit le roi avec gaieté.

Alexius était très heureux quand il apprit cette bonne nouvelle. Enfin, son village deviendrait connu en France. Il pourrait vendre les objets qu'il avait fabriqués. Une grande joie l'inonda ! Il retourna vite à Bayax et informa tout son village.

– Chers habitants du village, j'ai une excellente nouvelle à vous annoncer : j'ai rencontré le roi de France. Il m'a proposé une excellente idée. Tous les objets que vous avez fabriqués, vous me les donnez. J'irai les porter à Paris. Ils seront vendus. Ensuite, nous serons très connus dans le monde entier. Qu'en pensez-vous ? Ne trouvez-vous pas qu'enfin le jour de la gloire et du triomphe est arrivé ? Moi, je suis très heureux et très content. Je pense que c'est le cas pour vous aussi, dit Alexius.

– Grand merci au roi de France. Je suis très heureux. Mon nom sera connu dans le monde entier. Tout le monde saura que mes initiales sont M et O, et que je ne suis pas une bille avec laquelle on joue. Merci à vous aussi, Monsieur le maire. Tout le triomphe revient aussi à vous, Alexius. Vous êtes un homme courageux et honnête, répondit Martin Oisillon avec une grande joie.

– C'est très gentil de votre part et de la part du roi. Je suis très content. J'ai une seule question à vous poser, Monsieur le maire : quand irez-vous revoir le roi de France ? Quand est-ce que nous vous donnerons nos objets pour qu'ils soient vendus ? Quand est-ce que se réalisera tout cela ? Répondez-moi, Monsieur le maire de Bayax, demanda un ingénieur, grand ami, honnête et gentil, de Martin Oisillon.

– Justement, je vais retourner le voir tout de suite. Mettez tous les objets que vous avez fabriqués dans ce carrosse. Je vais les rapporter à Paris et les montrer au roi de France, répondit Alexius.

– Il faut que vous fassiez un très bon travail. Monsieur le maire, j'ai une très grande confiance en vous. Ne me décevez pas, car nous devons être très connus dans le monde entier pour nos inventions, dit Martin Oisillon.

– Maître Martin, je voudrais que vous m'accompagniez à Paris. J'ai besoin de vous. Vous êtes l'un des plus grands savants dans le monde entier. Accepteriez-vous de m'accompagner ? demanda Alexius.

– Avec plaisir. Je voudrais voir Paris, cette ville magnifique ! Ensuite, je travaillerai sur la publicité de nos objets, répondit Martin Oisillon avec une très grande joie qui inondait son cœur.

– Allons-y. Nous allons prouver que notre village est l'un des meilleurs de France, répondit Alexius.

Le carrosse fut rempli avec les objets fabriqués.

Le départ fut déclenché. Alexius et Martin discutaient à bord du carrosse royal :

– J'ai une question à vous poser, Martin : est-ce que vous pensez que nous réussirons à être connus dans le monde entier ? demanda Alexius au savant Martin Oisillon.

– Si nous travaillons bien, nous pourrons même réaliser l'impossible. En bref, je suis sûr que tout le monde aimera nos objets. Ils ont été fabriqués avec soin, répondit le savant.

– Mais, Martin, vous savez que nous n'avons réalisé qu'un seul exemplaire de chaque objet. Comment pourrons-nous alors les vendre ? Il faut que nous gardions un exemplaire pour nous-mêmes. Êtes-vous d'accord avec moi ?

– Les exemplaires sont très faciles à faire. Nous dirons aux villageois de Bayax de produire plusieurs exemplaires de nos objets, dit Martin Oisillon.

– Mais entre-temps, il faudrait que nous vendions certains objets ! Comment allons-nous faire ? demanda de nouveau Alexius à Martin Oisillon.

– Nous pourrons utiliser le système des commandes. Nous ferons une démonstration de chaque objet. Ensuite, pour ceux qui veulent l'acheter, ils pourront le commander. Ils recevront leur commande dans un délai d'une dizaine de jours. Que dites-vous de cette idée ? N'est-elle pas intéressante ? demanda Martin Oisillon en présentant son idée.

– Excellente idée, Martin ! Vous avez vraiment de très bonnes idées. Je vous remercie, dit Alexius à Martin.

– Je vous en prie, Monsieur le maire. Regardez, nous arrivons à Paris. C'est vraiment une des plus belles villes de France ! Je suis impressionné par sa splendeur ! Qu'elle est belle ! s'exclama Martin Oisillon.

– Vous avez raison, Martin. Je n'ai jamais vu une ville pareille ! On disait que Paris était la capitale du monde entier ! Elle a un style très apprécié par tout le monde, dit Alexius en souriant.

– Regardez, voici le château de Versailles ! Le château où habite le roi Auguste. Maintenant, nous allons virer à droite, dit Martin Oisillon.

– Vous pensez que si l'on devenait très riche, on pourrait posséder un château pareil ? Ce domaine de luxe ! Ah, le roi vient de sortir. Il a sûrement appris notre arrivée. Allons le voir, dit Alexius.

– Oui, vous avez raison. Allons-y ! Nous devons aller le voir !

Le roi de France Auguste sortit de sa forteresse. Il s'avança vers les deux hommes et dit avec joie :

– Bonsoir, Alexius et Martin Oisillon. Bienvenue au château de Versailles. Faites-moi le plaisir d'entrer pour que nous buvions ensemble un léger café, dit le roi de France, Auguste.

– Je vous remercie, votre Majesté. Par où devons-nous aller ? demanda Martin Oisillon.

– Par ici, Monsieur le savant. Avez-vous pensé à apporter tous les objets que vous avez fabriqués ? Il faut absolument qu'on les expose à la vente aujourd'hui, dit Auguste.

– Oui, Sire. Tous nos objets ont été déposés dans le carrosse royal. En fait, nous n'avons pas réalisé plusieurs exemplaires de chaque objet. De ce fait, pouvez-vous utiliser le système des commandes pour pouvoir acheter les objets ? demanda Alexius.

– Bien sûr, Monsieur le maire. Installez-vous, s'il vous plaît, et reposez-vous. Vous avez sûrement dû faire un voyage fatigant, répondit le roi.

– Je vous remercie infiniment, Monsieur le roi. Vous êtes vraiment un homme très gentil, dit Martin Oisillon.

– Que puis-je vous servir ? Voulez-vous un thé ou un café ? Dites-moi, demanda le roi Auguste.

– Deux thés, votre Majesté. C'est très gentil de votre part de nous faire un accueil aussi chaleureux, répondirent les deux hommes.

– Marc, viens. Apporte-nous deux thés et un café, dit le roi à un serviteur.

– Bien, Sire. Tous vos souhaits seront exaucés, répondit le serviteur gentiment.

– Avez-vous parlé à votre village du fait que tous vos projets seront vendus dans le monde entier ? Je connais d'autres rois qui pourront, eux aussi, commander des exemplaires de vos merveilleux projets, dit le roi.

– Oui. Dès mon arrivée à Bayax, j'ai tout raconté, répondit Alexius, maire de Bayax.

– Quelle a été leur réaction ? Sont-ils devenus heureux et contents ? Dites-moi… demanda le roi avec l'impatience de connaître la réponse.

– Ils sont devenus très contents. C'était une excellente nouvelle pour eux. Ils vous remercient énormément, répondit Alexius.

– Un grand merci à Alexius. Tout le bien vous revient. C'est de mon devoir que de faire connaître vos projets idéaux. Moi-même, je voudrais avoir un exemplaire de chacun de vos projets. Bien évidemment, avec une dédicace ! rit le roi avec les deux hommes.

– Bien sûr, votre Majesté. Que vous êtes un plaisant homme ! Vous êtes un roi très généreux, aimable et courtois ! dit Martin Oisillon.

– Merci, Martin. Maintenant, ne perdons pas de

temps. Nous allons partir à la foire des projets de Paris. C'est le premier jour de la foire des projets. Chaque année, une foire est organisée à Paris. Nous allons nous y rendre et allons faire une démonstration de tous vos projets, proposa le roi.

– Très bonne idée, répondit Alexius.

Le roi de France, Alexius et Martin se levèrent pour partir avec le carrosse royal. Le but était de rejoindre la foire des projets de Paris. Il était neuf heures du matin et ils devaient arriver avant dix heures pour l'inauguration. Le carrosse accéléra et alla plus vite. Les hommes arrivèrent à la foire à neuf heures et quart. Ils s'installèrent sur une estrade. Ils mirent en place des annonces pour tous leurs objets. Ils préparèrent des tables, où ils mirent les projets. À dix heures, nombreux sont les gens qui arrivèrent. Les premiers regards furent posés sur le roi de France. Ensuite, ils avancèrent et virent les projets. Ils furent étonnés ! Émerveillés, ils demandèrent ce que c'était. Martin Oisillon se mit au milieu de l'estrade et parla au public. Il avait un micro à la main pour que tout le monde puisse l'entendre.

– Bonjour, Mesdames et Messieurs les Parisiens, les Français et tout le monde ! Aujourd'hui, à la foire des projets de Paris, nous allons vous présenter des choses qui vont sûrement vous impressionner. Regardez-moi : vous voyez cette bouteille ? Elle est pleine d'eau. Mais cette eau ne se videra jamais. Tout cela, grâce à un mécanisme scientifique et technologique qui permet de recueillir l'eau de pluie dans les nuages et de l'insérer dans cette bouteille. Qu'en pensez-vous ? N'est-ce pas hallucinant ? Cette bouteille d'eau ne coûte que trente francs ! Et vous voyez ce miroir ? Il est capable de prévoir l'avenir ! N'est-ce pas extraordinaire ? Il n'est qu'à vingt francs ! Vous êtes vraiment chanceux de pouvoir acheter ces fabuleux objets à des prix aussi bas. Qu'est-ce que vous en dites ? demanda Martin en faisant une grande introduction pour les deux premiers projets.

– Moi, je veux une bouteille d'eau et un miroir. Où puis-je les acheter ? demanda une femme.

– Moi aussi. Moi, je veux deux exemplaires de chaque objet. Où devons-nous aller ? demandèrent alors plusieurs personnes.

– Pour pouvoir acheter un objet, vous devez aller à la caisse. Malheureusement, nous travaillons avec le système des commandes. Vous commandez votre objet, et vous le recevrez dans une dizaine de jours, par voie postale. Allez-y ! C'est une journée exceptionnelle ! cria Martin Oisillon.

À ce moment-là, plusieurs personnes se dirigèrent vers la caisse pour commander les ouvrages. Le nombre de commandes encaissées était extraordinaire. Jamais un projet n'avait connu une si grande importance ! En une seule journée, le village de Bayax gagna six millions de francs. Tous voulaient commander les projets de ce village. Ils étaient impressionnés ! Martin Oisillon devint l'homme le plus heureux sur Terre, ainsi qu'Alexius, et tout le village de Bayax. Martin Oisillon demanda au village de réaliser les exemplaires demandés par les acheteurs. Sauf que là, le travail devint très difficile. Il y avait un nombre énorme de commandes à préparer. Néanmoins, le village de Bayax continua à fabriquer les objets. Les habitants ne réfléchissaient point à la fatigue. C'étaient des hommes courageux et laborieux. Ils voulaient réussir et finir par vaincre toutes les difficultés.

La foire des projets devait durer une semaine. Durant toute la semaine, le village de Bayax reçut des commandes. C'était incroyable ! La gloire est difficile, mais ce qui est encore plus difficile, c'est de garder cette gloire et cette réussite. À la fin de la semaine, la foire, ayant connu un énorme succès, fut prolongée pour un autre mois. Le village de Bayax finit par finaliser plusieurs commandes et les envoya. Cependant, le nombre de commandes augmentait chaque jour. Maintenant, les commandes venaient du monde entier. Malheureusement, le village de Bayax ne trouvait point le temps de finaliser les commandes.

Martin Oisillon rentra au château de Versailles et se reposa un peu. Il plongea dans un profond rêve : au bout de la deuxième semaine, le village ne pouvait continuer à travailler ainsi. Les habitants s'arrêtèrent et demandèrent à Martin Oisillon de trouver une solution :

– Bonsoir, Martin. Nous ne pouvons pas continuer ainsi. Nous ne trouvons pas le temps de finaliser toutes les commandes. La nuit, nous ne pouvons pas travailler, car il nous faut les rayons du Soleil pour pouvoir fabriquer certains objets. Quelle est la solution ? demanda le village de Bayax.

– À ce que j'ai compris, la nuit vous pose un grand problème. Vous ne pouvez donc pas travailler la nuit. Est-ce cela que vous voulez dire ? demanda Martin Oisillon avec inquiétude.

– Oui, c'est bien ça. Avez-vous une idée pour trouver une bonne solution ? demanda à nouveau le village de Bayax.

– Écoutez-moi, je vais essayer de revenir au village de Bayax. Entre-temps, continuez de préparer les commandes. Êtes-vous d'accord avec moi ? demanda Martin Oisillon.

– Excellente idée. Pour pouvoir résoudre le problème, il faut que vous soyez présent sur place. Dans l'attente de vous recevoir, nous continuerons le traitement des commandes, répondit le village de Bayax.

Martin Oisillon quitta Paris le jour même. Alexius resta aux côtés du roi alors que Martin partit, dans le carrosse royal, vers le village de Bayax. Il traversa la France très vite. Il était très pressé et voulait rejoindre le plus vite possible Bayax. Dès qu'il arriva, il essaya de comprendre le problème. Il comprit que la nuit posait un grand problème aux habitants de ce village. Ils ne pouvaient effectuer les exemplaires des projets qu'en présence du Soleil. Cependant, il réfléchit longtemps pour essayer de trouver une solution. Il eut l'idée d'inventer une machine qui ferait disparaître la nuit et la Lune. Mais comment allait-il réussir à résoudre cet énorme problème ? Il regagna sa maison pour pouvoir réfléchir seul. Ce savant ne pouvait se concentrer sur une chose que s'il était seul. Pour résoudre le problème, il commença à dessiner des schémas, bien précis. Finalement, après avoir longuement réfléchi, il finit par trouver une solution possible : fabriquer une grande onde spatiale qui pourrait cacher la Lune. Cette onde devrait couvrir toute la planète Terre. Ainsi, il n'y aurait que le Soleil et ses rayons qui pourraient être visibles à partir de la planète Terre. « Quelle belle idée ! » se dit-il. Mais est-ce que le monde acceptera de vivre sans la nuit ? C'était la question qu'il se posait. Pour cela, il exposa son idée au roi de France. L'idée plut au roi de France. Il la diffusa dans le monde entier. La question fut diffusée dans les médias du monde entier. Après de longs échanges et discussions, la décision du monde entier fut favorable. Il eut lieu un sondage et des votes. Plus des trois quarts de la population mondiale étaient d'accord sur le fait que la nuit n'existerait plus. Le projet de réalisation de l'onde spatiale fut longuement étudié. Le projet, selon les calculs des savants, serait fini dans une dizaine de jours. Entre-temps, le village de Bayax continuait toujours à traiter les commandes. La construction de l'onde spatiale fut ensuite exécutée. Elle dura onze jours. La réalisation fut parfaite. On n'arrivait plus à voir la Lune. Il n'y avait que le Soleil et ses rayons au beau milieu du ciel. Mais à midi, le monde avait changé.

Terrifiant, douloureux et effrayant, le monde changea. Une grande chaleur s'installa sur la planète Terre. Maintenant, les rayons du Soleil étaient brûlants. La planète Terre s'était presque transformée en une grosse boule de feu. Personne ne pouvait sortir dans la rue. C'était le grand malheur ! Les océans et les mers commencèrent à sécher. Il n'y avait presque plus d'eau sur la planète Terre. C'était maintenant une planète rouge ! Rouge comme le feu flamboyant ! Les plantes séchèrent toutes. Il n'y avait plus le moindre végétal vert dehors. Les animaux qui étaient dehors moururent tous à cause de la chaleur. Tous les fleuves devinrent des terres sèches. Tous les continents de la planète Terre se collèrent les uns aux autres. Certains humains, qui se promenaient, tombèrent, les uns après les autres, et moururent de soif. L'air devint asphyxiant ! Impossible de respirer ! Il n'y avait plus de dioxygène sur Terre. Tout cela était dû à un changement d'équilibre. Il y avait eu un grand déséquilibre naturel. C'était une catastrophe ! Personne ne tentait de sortir. C'était un danger de mort. Les réseaux téléphoniques étaient coupés. On ne pouvait faire la moindre communication téléphonique. Internet aussi fut coupé. Pas la moindre façon de communiquer. Tout le monde s'étonna de cette situation. Voici ce qui arrivait, si la nuit n'existait plus. Personne n'aurait jamais imaginé cette dramatique situation. Rien ne fonctionnait ! Les personnes qui étaient à la maison allumèrent rapidement la climatisation. Sinon, elles mouraient à cause de la chaleur. En plus, personne n'arrivait à manger quoi que ce soit. Personne n'arrivait à avaler une chose. Concernant les personnes hospitalisées, elles moururent toutes d'une mort atroce et terrible, en raison du déséquilibre naturel. Les personnes âgées tombèrent toutes. Elles n'arrivaient plus à bouger leurs os. C'était la grande misère. Ensuite, certaines espèces d'oiseaux et d'insectes disparurent, elles ne supportaient pas cette énorme chaleur. En revanche, d'autres espèces apparurent : des créatures rouges firent leur apparition. Ces créatures étaient des insectes en feu. Elles s'attaquèrent aux maisons. Leurs piqûres pouvaient tuer n'importe quelle personne. Devant la gravité de la situation, Martin Oisillon essaya de trouver une solution. Il essaya d'inventer un procédé qui pourrait remettre en place la Lune et la nuit. Il réfléchit rapidement, cette fois-ci. Puis, il trouva une solution : il inventa une télécommande qui pourrait enlever l'onde spatiale et la détruire totalement. L'onde spatiale avait coûté très cher à la France. Martin n'avait pas le choix. Il appuya sur le bouton rouge de cette télécommande. L'onde spatiale explosa et la Lune réapparut.

À ce moment-là, le roi de France alla voir Martin. Il le réveilla de son profond rêve. Martin Oisillon fut surpris d'avoir eu un rêve si bizarre. Il le raconta au roi de France.

– Majesté, je n'en crois pas mes yeux, ceci n'était qu'un rêve ! J'étais à Paris…

Et Martin raconta son rêve au roi de France.

– Tout cela est extraordinaire ! Ceci veut dire que l'on ne doit jamais provoquer un déséquilibre naturel ! Je suis impressionné, dit le roi de France.

– Il faut absolument que j'écrive un livre sur cette mystérieuse histoire. Je l'appellerai *Et si la nuit n'existait plus...* dit Martin Oisillon.

– Très bonne idée. Ainsi, vous pourrez être non seulement un savant, mais aussi un écrivain. Je suis sûr que ce livre connaîtra un énorme succès, car l'histoire sera très intéressante, ajouta le roi.

Martin Oisillon continua de s'occuper des projets que son village fabriquait. Le village inventa de nouveaux objets, qui furent aussi vendus. Martin Oisillon écrivit un livre qui s'intitula *Et si la nuit n'existait plus...* Il le publia et connut alors un énorme succès. Martin Oisillon, Alexius, le roi de France et tout le village de Bayax vécurent ainsi une très belle vie.

Je terminerai par dire que ce livre m'impressionna énormément et attira mon attention. À la fin de la lecture, je fus très heureux que le village de Bayax ait été enfin connu, mais aussi que Martin Oisillon soit devenu un très grand auteur remarquable.

Le lendemain du jour où je lus ce livre, je retournai à la bibliothèque de Pélussin pour le rendre. La responsable arriva, prit le livre et le rangea. Elle me demanda mon avis. Je lui répondis que ce livre était l'un des meilleurs que j'avais lus durant ma vie d'enfant !

12
Un échange de gourmandises

Il y a environ un an, je n'avais aucune notion de gourmandise. Je me disais que les personnes qui ne savent que manger étaient ignorantes. Néanmoins, après avoir fait un voyage vers un monde lointain, j'ai changé d'avis. Je suis devenu très gourmand. C'était un merveilleux voyage vers un monde formidable et inexplicable à la fois. Je voudrais revivre ces minutes et instants merveilleux. Je me disais que j'avais été chanceux de les avoir vécus et que, peut-être, j'étais le seul à les avoir connus. Les questions que je me posais étaient : comment ai-je pu les vivre ? Ai-je fait un rêve, ou était-ce vraiment la réalité ? Je pense que c'était plutôt un message qui m'avait été transmis et qui m'avait permis de savoir que la gourmandise était un art : Un art de choix, de goût et d'esprit. On ne peut pas être gourmand si on ne sait pas maîtriser la gourmandise. Être gourmand est un vrai métier comme les autres. C'est une chance d'être gourmand. J'ai conclu en me disant que « manger n'est pas la gourmandise, manger ne fait pas briller les prunelles ».

Nous avions embarqué pendant les vacances d'hiver dans un avion, mon père, ma mère et moi. J'ai appelé cet avion « l'avion de la gourmandise ». Une heure après notre embarquement, on nous avait servi le repas. Il était midi et vingt-sept minutes. Le repas n'était pas un repas ordinaire, mais un repas tout léger, ayant un grand goût. On ne nous avait servi qu'une seule assiette, mais si bonne que nous aurions cru avoir mangé plusieurs repas. C'est cela qu'on appelle la gourmandise, avoir un goût et un esprit pour ce que l'on mange. Le vol aurait dû durer une heure et demie. Son itinéraire était Paris-Francfort. Ce qui nous a semblé étrange était que nous avions passé cinq heures dans l'avion sans atterrir. Mon père a cru que c'était un détournement d'avion. Il y avait plusieurs rumeurs qui circulaient dans l'avion.

Après cinq heures de vol, le commandant de bord nous a signalé qu'il y avait eu un changement de destination et que nous atterririons dans vingt minutes à l'aéroport Gourmando. Nous n'avions jamais entendu parler de cet aéroport. L'avion a atterri, comme l'avait indiqué le commandant. Nous avons atterri sur une piste sucrée. Je regardais, à travers le hublot, le paysage extérieur. L'aéroport avait la forme d'un « cheesecake » (gâteau au fromage).

Nous sommes descendus de l'avion, étonnés, et c'est là que je me suis rendu compte que tout le monde avait disparu, y compris mon père et ma mère. Je me suis trouvé seul dans un grand aéroport. Je traînai ma valise et m'approchai du terminal 1. L'écriture sur les panneaux de l'aérogare était des images de gâteaux, pizzas et diverses sucreries accompagnées de flèches montrant les directions à suivre. Le premier panneau indiquait qu'en face il y avait une pizzeria. Je suivis ce panneau et arrivai devant un tout petit bâtiment : C'était une pizzeria. Comme j'avais très faim, je suis allé commander une pizza végétarienne. Le caissier me dit : « Shuar Hazar Cakez ». Je ne compris point sa langue et pensai qu'il avait voulu demander de l'argent. Je lui montrai un billet de cinquante euros. Il me dit non et me montra la monnaie de ce pays. C'était un billet de 4 000 cakes qu'il me demandait. C'était un billet de couleur jaune sur lequel étaient dessinés des gâteaux. Un jeune homme s'approcha de moi et me dit : « Dites donc, monsieur, je crois que vous êtes venu d'un autre monde. Je connais un peu la langue quartoienne (langue française). Vous avez fait un voyage à travers le temps. Les billets que vous avez fait sortir sont des billets qui s'utiliseront dans huit siècles ».

L'homme paya ma pizza et m'accompagna chez lui. Il prit bien soin de moi et m'expliqua pourquoi j'étais venu dans ce monde :

– Cher ami, notre pays, Gourmanda, se situe dans un monde lointain. Notre gouvernement dirige la gourmandise dans le monde. Ainsi, notre gouvernement veut que tout le monde soit gourmand, car la gourmandise est un plaisir et un jeu. On a constaté que vous n'étiez pas gourmand. C'est pour cela qu'on vous a invité dans notre monde. Nous allons vous apprendre que la gourmandise est une bonne chose. Je voudrais que nous fassions connaissance. Je m'appelle Nicolas, et vous ? demanda Nicolas.

– Martin Oisillon. Ravi de faire votre connaissance. Comment allez-vous m'apprendre à devenir gourmand ? répondis-je en posant une autre question.

– Je vais vous poser des questions. La première est : qu'est-ce que la gourmandise ? m'interrogea Nicolas.

– La gourmandise est le fait de manger, rétorquai-je sans hésitation.

Nicolas se mit à rire de bon cœur en entendant ma réponse. Il me demanda si j'aimais manger. Je lui répondis « Non ». C'est alors qu'il m'apporta une petite assiette où étaient présentés trois petits gâteaux verts de forme ronde, qui ressemblaient à des hamburgers : des macarons. Il me demanda de les goûter. C'est ainsi que j'ai découvert qu'ils étaient tellement délicieux que je me mis à saliver en les voyant. Nicolas me demanda si j'avais encore faim. « Non », répondis-je. Ainsi, je compris qu'en mangeant de la nourriture en petite quantité, on pouvait ne plus avoir faim, à condition que celle-ci soit de bonne qualité. Nicolas continua :

– Avez-vous compris ce qu'est la gourmandise ? me questionna Nicolas de nouveau.

– Oui, j'en conclus que la gourmandise est un art de goût.

– Ah, j'ai eu chaud quand vous m'avez dit que la gourmandise n'était que manger sans savoir ce que l'on dégustait. La conclusion qu'il faudra apprendre est : il faut savoir que pour être gourmand, il faut manger peu, mais de qualité. Cependant, manger beaucoup est un doux péché, affirma l'homme.

– Comment s'appellent ces délicieux gâteaux ? demandai-je à Nicolas.

– Ces gâteaux s'appellent des macarons. Le macaron est une spécialité française. C'est un petit gâteau rond qui est doux et bon, m'expliqua Nicolas.

Nicolas resta à côté de moi et m'apporta deux ou trois macarons. Nous restâmes discuter à propos de la gourmandise. Nicolas me dit : depuis l'an 1414, une loi venant du commissariat général impose la gourmandise. Nous avons gagné notre réputation en inventant cette loi, à tel point que nous sommes devenus le principal commissariat qui dirige la gourmandise dans le monde...

Je l'interrompis et lui confirmai que les macarons étaient vraiment délicieux. Je pris à mon tour la parole et lui montrai ce que je savais sur la gourmandise. Je me levai, allai à la cuisine et revins en portant dans mes mains un grand plateau. Une discussion s'engagea :

– Cher Nicolas, un seul de ces plats est bon. Tu devras le choisir. (Parmi les plats proposés, il y avait un hamburger, une pizza, des nuggets de poulet, un plat avec du riz et des crevettes.), expliquai-je.

– Je ne sais pas quoi choisir, ils sont tous bons, mais je n'aime pas le plat de riz, balbutia Nicolas.

– Vraiment, mon ami ? Alors, toi non plus, tu ne sais pas ce qu'est la gourmandise. Il y a du bon travail à faire avec toi aussi, m'étonnai-je.

Je débarrassai la table et ne laissai que le plat aux crevettes. Je lui demandai s'il connaissait le nom de ce plat. « Non », me répondit-il sincèrement. Je lui dis que ce plat s'appelait la paella. « Quoi ? », me demanda-t-il. « La paella, goûte », lui dis-je. Il la goûta et la trouva excellente. Il n'en croyait pas ses yeux. Il ne faut surtout pas se fier aux apparences.

Je dis à mon nouvel ami : « La paella est un plat de riz originaire de Valence. Il y a surtout du riz, mais aussi des fruits de mer, pour donner du goût. Maintenant, tu apprends que la gourmandise est un art de choix. Il faut choisir la bonne chose avant de manger. »

Nicolas partit et revint aussitôt, mais cette fois-ci, il apporta deux plats. Je pus constater que le premier était asiatique, je ne le connaissais pas. Le second était un plat français, un gratin dauphinois, que j'adorais. Mon ami se retourna vers moi :

– Martin, voici ton dernier examen avant de rentrer chez toi. Tu devras sélectionner un repas parmi les deux qui te sont proposés, pour le manger. Tu ne devras pas faire d'erreur, la réponse est facile, exposa Nicolas.

– Nicolas, je t'en prie. Je ne veux rien choisir… bégayai-je.

– Je te le répète, réfléchis bien, répéta-t-il.

Je choisis le second repas, qui était le gratin dauphinois. Des cloches commencèrent alors à sonner. Nicolas se retourna vers moi et cria à très haute voix : « Tu as donné la bonne réponse ».

– Martin, pour une fois, tu as donné la réponse correcte. Notre travail sur la gourmandise n'a pas échoué, car tu es dès maintenant gourmand. Tu m'as appris la paella et je t'ai appris les macarons. N'est-ce pas un joli échange et n'est-ce pas vrai que la gourmandise est un art de l'esprit ? demanda à nouveau Nicolas.

– Oui, tu as raison. C'est un art de l'esprit, car on ne doit pas manger ce que l'on ne connaît pas. Il faut essayer, mais il faut être prudent, lui confirmai-je.

– Bravo Martin, tu as réussi. Nous sommes fiers de toi ! hurla Nicolas avec joie.

Nicolas se leva et me remit un diplôme : le diplôme de la gourmandise. Nicolas me dit qu'il n'avait plus à me retenir chez lui. J'avais bien appris à être gourmand. Je lui apportai à mon tour un petit papier où j'avais écrit : « Tu es vraiment la star de la gourmandise ». Quel bel échange de cadeaux et de souvenirs. Nicolas me remercia et me dit de me pincer pour retourner chez moi.

Je me pinçai et me retrouvai dans l'avion mystérieux. L'avion atterrit à Paris. Une voix dans ma tête me demanda de me pincer encore une fois. Je le fis et me retrouvai chez moi, dans mon lit, dans les bras de ma mère, qui voulait me réveiller. J'ouvris les yeux et ma mère cria de joie. Elle me dit que cela faisait vingt-huit heures que je ne me réveillais pas. Toute ma famille était muette et inquiète, jusqu'au moment où je me suis réveillé. Je regardai le mur de ma chambre et j'aperçus un diplôme dans un joli cadre que je n'avais pas accroché. Je lus :

Diplôme de la gourmandise
J'offre ce diplôme à Martin Oisillon, le remerciant pour sa gourmandise. Nous vous félicitons, car vous êtes le héros de la gourmandise.

Sincères salutations
Nicolas Gourmandi, commissaire de la gourmandise

Maman me demanda :

– Que t'est-il arrivé ? Qu'est-ce que c'est que ce diplôme ?

– Maman, j'étais chez mon ami Nicolas, qui m'a appris la gourmandise. J'ai réussi à être gourmand et j'ai obtenu ce diplôme. J'ai appris que la gourmandise était un art de goût, de choix et d'esprit, lui répondis-je.

Je lui racontai toute l'histoire, elle resta étonnée. Ce monde existe-t-il vraiment ? Mon père et toute ma famille ne me croyaient pas. Non, je suis sûr et certain que ce n'était pas un rêve. Nicolas et le commissariat de la gourmandise existent vraiment ! C'est à partir de ce moment que je suis devenu gourmand et que je salivais devant la bonne nourriture.

Maintenant, je connais la gourmandise et lui suis attaché, j'ai écrit une petite lettre que j'ai accrochée sur le mur de ma chambre :

> *Ma gourmandise = une nourriture saine.*
> *Je mange une nourriture en petite quantité,*
> *mais de bonne qualité.*
> *Je choisis ce que je mange.*
> *Je réfléchis avant de manger une nourriture et vérifie que celle-ci n'est pas trop grasse, trop salée ou trop sucrée.*

Cet ouvrage a été composé par Edilivre

175, boulevard Anatole France – 93200 Saint-Denis
Tél. : 01 41 62 14 40 – Fax : 01 41 62 14 50
Mail : client@edilivre.com

www.edilivre.com

Tous nos livres sont imprimés
dans les règles environnementales les plus strictes

ISBN papier : 978-2-334-07305-9
ISBN pdf : 978-2-334-07306-6
ISBN epub : 978-2-334-07304-2
Dépôt légal : mai 2016

Imprimé en France, 2016